가족이 되는 방법 2

How to be a family

Yeondam

글 · 그림 모주

가족이 되는 방법 2

초판 1쇄 찍은 날 | 2022년 8월 29일
초판 1쇄 펴낸 날 | 2022년 8월 29일

글 · 그림 | 모주

발행인 | 이진수
펴낸이 | 황현수
책임기획 | 김은서, 코믹제작팀
책임편집 | 홍민지

펴낸곳 | 주식회사 카카오엔터테인먼트
등록번호 | 제2015-000037호
등록일자 | 2010년 8월 16일
주소 | 경기도 성남시 분당구 판교역로 221 6(일부)층

제작 | KW북스
E-mail | design@kwbooks.co.kr

ISBN 979-11-385-8521-7 07810
979-11-385-8519-4 (set)

Contents

등장인물 소개

신도연(25)

7월 10일생 , 171cm , A형
경영학과 재학 중.

서은하(23)

9월 1일생 , 186cm , O형
영어영문학과 휴학 중.

신영주
도연의 어머니.

서현준
은하의 보호자.

하성훈
도연의 친구.

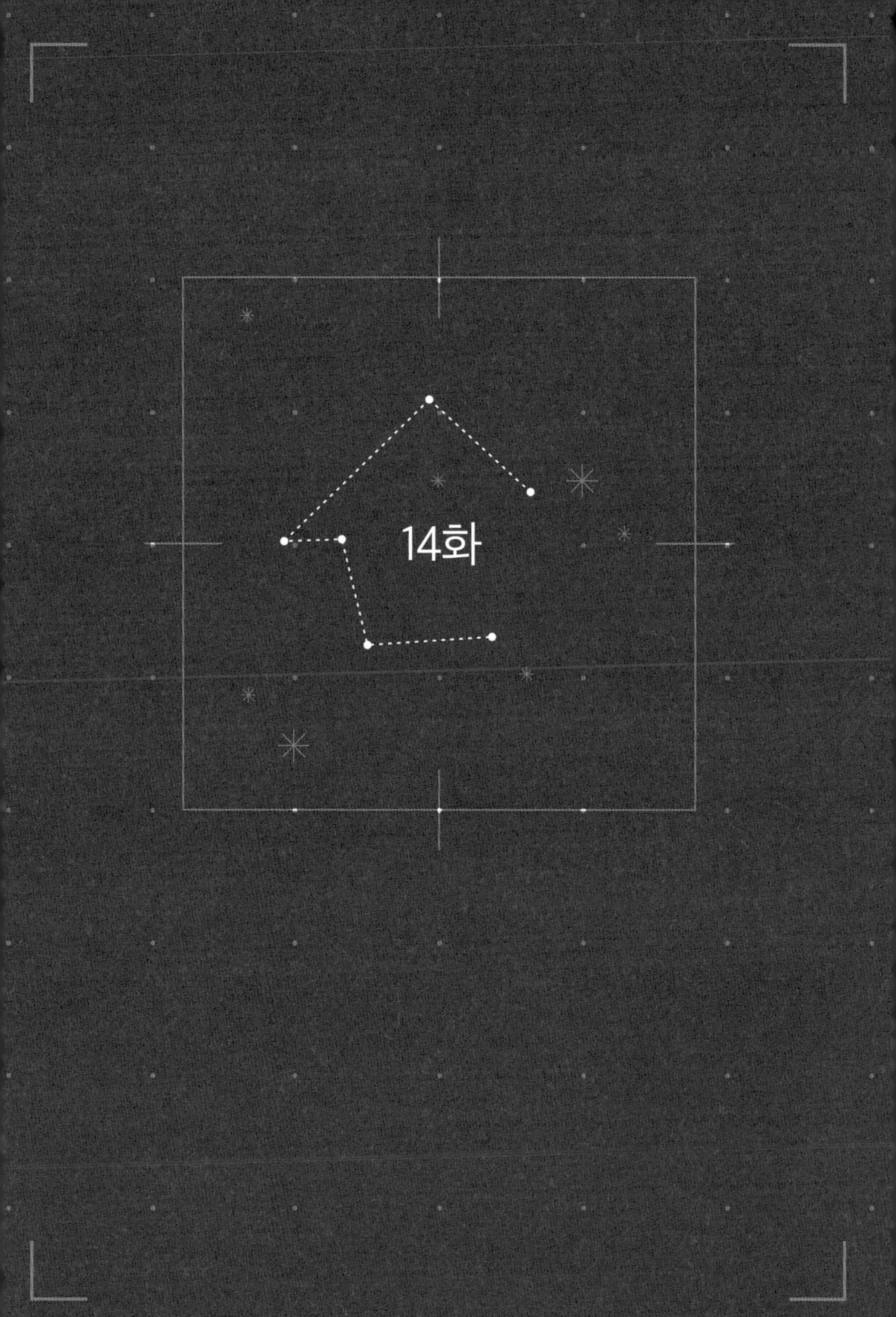

14화

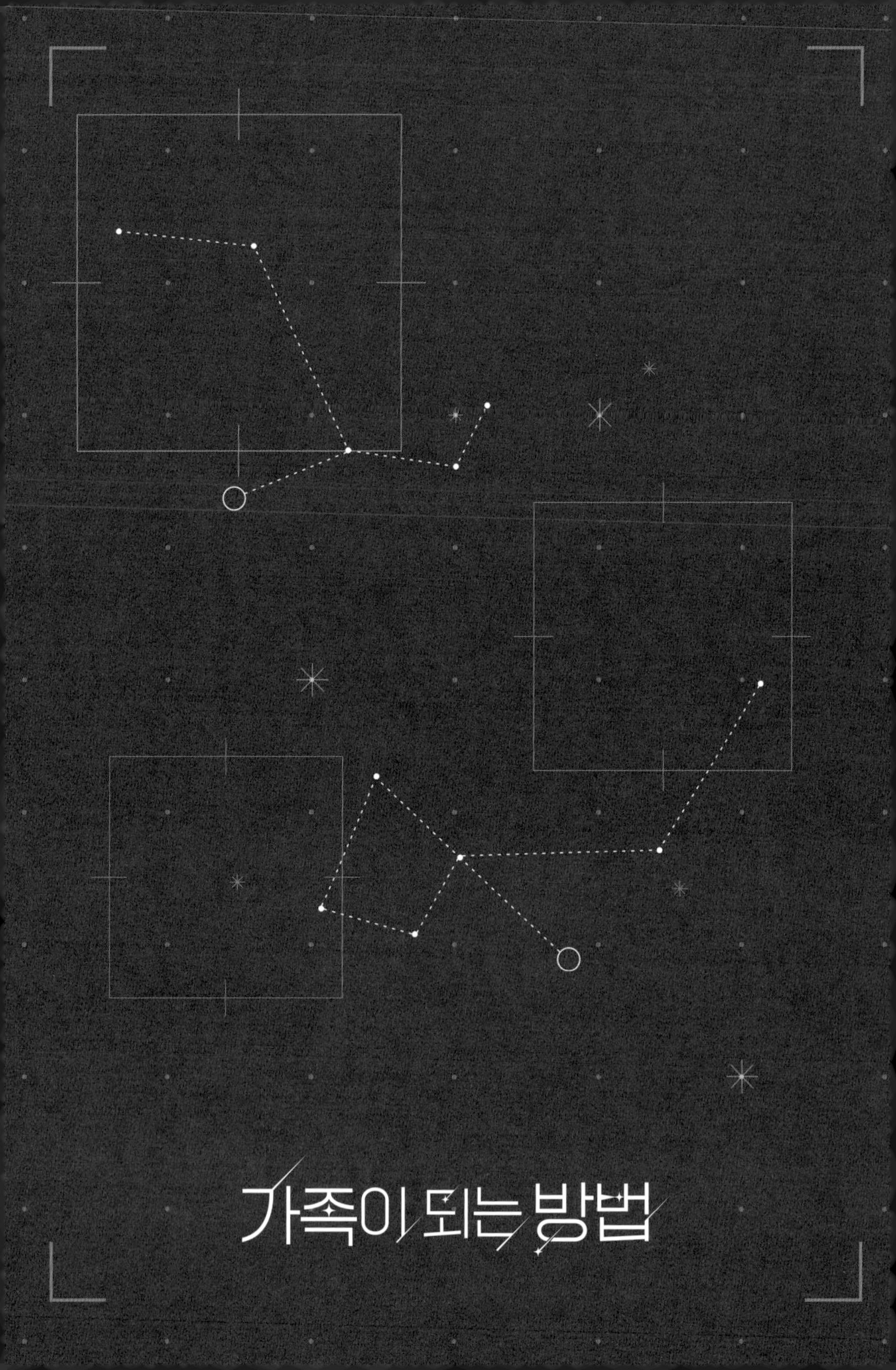
가족이 되는 방법

맴맴매맴매맴
맴맴맴
맴맴맴
맴맴맴

바스락

형!
아이스크림
사 왔어.
먹고 하자….
?

형?
형.
여기 있어?
벌컥
끼익
형!
…….

어디 나갔나…?

I made
men now
have t
thi
슥슥
men n
have to ta
사사삭

도저히
집중이 안 돼서
나왔는데.
나와도 집중이
안 된다….

그리고
은하 얼굴
보기가…
너무… 좀…
그래서.
갑자기 너무
어색해져서….

어제는 정말…
키스라도 할 줄
알았어.

…….

속닥
형.

왜… 왜
여기 있어?!
응? 그냥….
형이 갑자기
없어졌길래.

형 여기
자주 오니까
혹시나 해서.
그…렇긴 하지만,
연락도 없이
갑자기…!

헉

싸늘…

죄송합니다.
죄송합니다.
죄송….
주섬
주섬

…….
…….
형….
나, 나!
나 어디 좀 들렀다 갈게.
어딘데? 나도….
아냐!
쌩
날도 더운데 먼저 들어가!
…….

저벅
저벅

피하는 게
너무 티 났겠지.
이렇게 피하면
안 되는데.
저벅
저벅
하지만….

저벅
같이 있었으면
더 실수했을 거야.
저벅

붕
붕

형!

질투 나서?

미안해, 형.

난….
뭘 어쩌고 싶은 걸까.

은하가
마음 상하기 전에
정신 차려야 하는데.
하지만 지금은
도저히 얼굴을…
못 보겠어.

어떠하지?
정말로.
어떡하지….

두리번
두리번

뭐 찾니?
아….
형이 아직
안 들어온 것
같아서요.

얘기 못 들었니?
친구네에서 자고
온다던데.

성훈이…
형이요?
그래,
성훈이네.
은하 너도
성훈이랑
친하니?
…아니요….

그래? 어쨌든
기다리지 말고
일찍 자라.

…….
하성훈….

…설마….
콰아아아

하아… 얼떨결에 집에도 안 들어갔네.
덜컹
덜컹
덜컹
은하가 지금쯤 대체 뭐라고 생각하고 있을지.

만화 카페에서
밤새울 예정
이었는데….
뭐…
안 된다고 하면
그냥 만화 카페 가면
되니까.
꾹
진짜
성훈이네나 갈까?
너무 갑자기인가.
뚜르르르르 뚜르르르르
덜컥
야!!
너!!
깜짝이야….
왜 소리를 질러?
두근
두근
?!
깜짝
벌렁
안 지르게
생겼냐?

너 왜 방학 내내 연락을 안 받아?!
어?

카톡도 안 읽고!
전화도 씹고!
어?!
그런 적 없는데?

무슨 일이라도 있나 해서 걱정했잖아!
요즘 공부하느라 폰을 잘 안 보긴 했는데, 잠깐만….

…?

전화 온 게 없는데?
카톡도 아무것도….

응?

성훈이 톡방이 안 보이네? 다른 친구들도….
…하는 우리들의 모습
러브하나
《과자를 만들자》 러브하나 님께서 하…
민재
대화 내용도 날아갔고.

뭐지?
업데이트 오류 났나?
이번 역은….
내리실 문은 오른쪽입니다.
아, 내려야겠다.

하지만 이상한데?
톡방이 전부 날아가면 모를까… 친구들 것만?
징이익

야, 일단 나 너희 집 가도 돼?
자고 가도 될까?
어… 갑자기 미안한데, 나 집에 들어가기가….

헉
엘리베이터
2 나가는 곳 Exit
헉
헉
허억
허억
허억
은하?
은하가 대체 어떻게 여기를….
…….

성훈아,
이따가 다시 연락할게.
뭐?
야!
뚝
타는

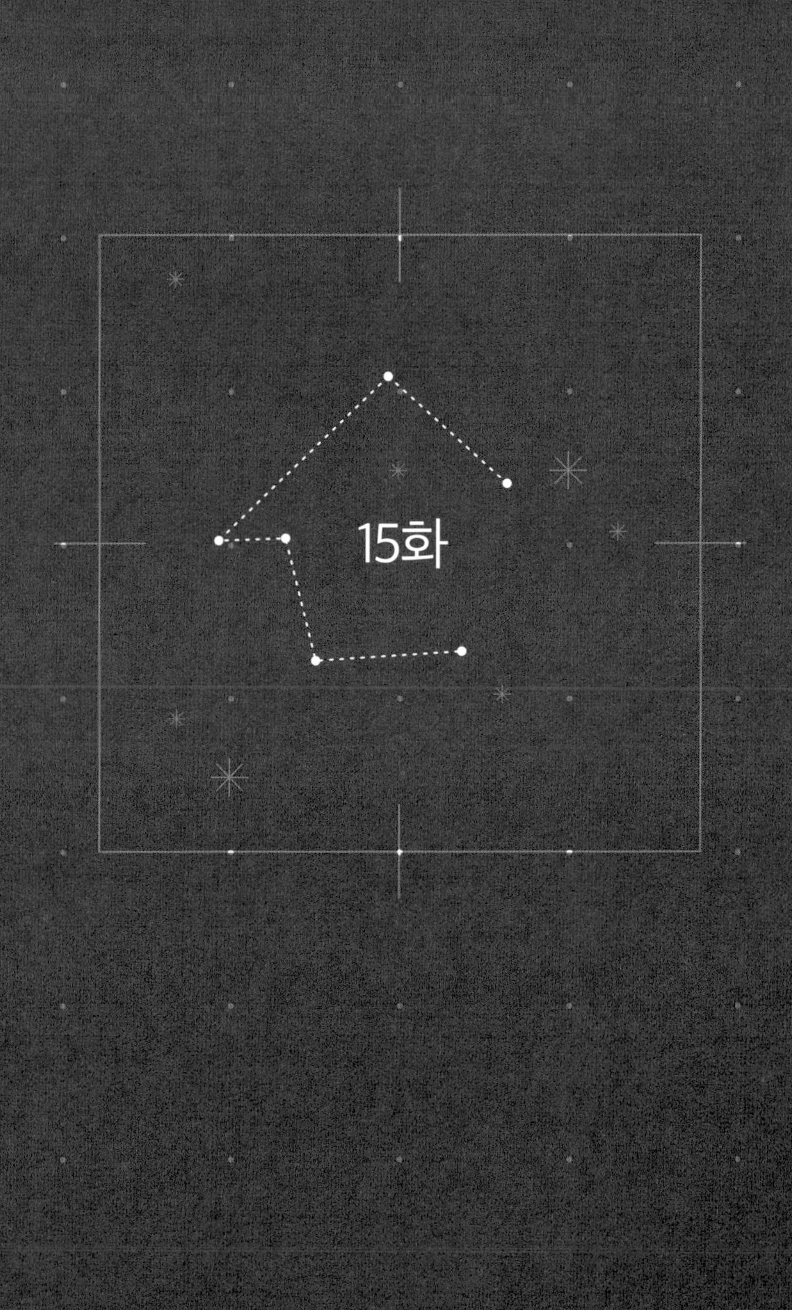

15화

가족이 되는 방법

서은하.
네가 왜 여기 있어?

형….

나한테 화났어?

화내지 마,
형….
형이 화내면
난….
여기는 어떻게
알았어?

…….
미안해….

사과만
하지 말고
말을 해봐.
성훈이네 가는 건
엄마한테 들었을 테고.
대체
성훈이 집이 어딘진
어떻게 알아서….
…….

은하야.
너 내 휴대폰
봤어?
너 요즘
모의시험 때문에
내 휴대폰, 계속
갖고 있었잖아.

성훈이네 집.
이사한 지
얼마 안 돼서
주소를 메모장에
적어놨는데.

…혹시 카톡방
지운 것도
너야?
부재중
전화 기록도
네가 다 지웠어?

어젯밤에,
자는 옆에서 휴대폰
찾고 있었던 것도….

…….
왜….
왜 이렇게까지 해?

굳이 이러지 않아도 난….
형! 미안해! 난 그냥….
나가는 곳 Exit

…형이랑 가족이 된 게 너무 좋아서….
형을 혼자… 독차지하고 싶어서….

여름방학만이라도
형이랑 둘이 있고
싶어서, 그래서….

…….

형…
하나만 물어봐도
될까…?
엘레베이터

두근
나를 왜
피했던 거야?

그걸 지금
안 거라면
그럼 그동안
왜 날 피한 거야?
…….
뭐?
내가 맘대로
형 휴대폰을
만져서
그래서
날 피한 거라고
생각했는데
내가…
또 기분 상하게
한 게 있어?
두근…
둠…

네가
이상하게 구니까.

네가 하는 행동들,
하는 말들,
전부 이상해.
솔직히
엄청 기분 나쁘고
부담스럽거든.
너무 집착해서
무섭다고.
보통 가족끼리는
안 이러는데.
가족끼리는…….
꽈악
…….

나 갈게.
오늘은 안 들어갈 거야.

내가 이상한 게 아니야.
은하가 이상해서 그랬던 거야.
은하가 이상해서….

딩동

야,
너 진짜…
전화를
뭐 그렇게 끊ㅡ.
벌컥

줄
줄
줄
억?!

왜 그래,
왜 울어!
무슨 일 있어?
뚝
난 비겁해…
인간 말종이야….
뚝
뚝
?!?!

그렇게 말하면
안 되는 거였어.

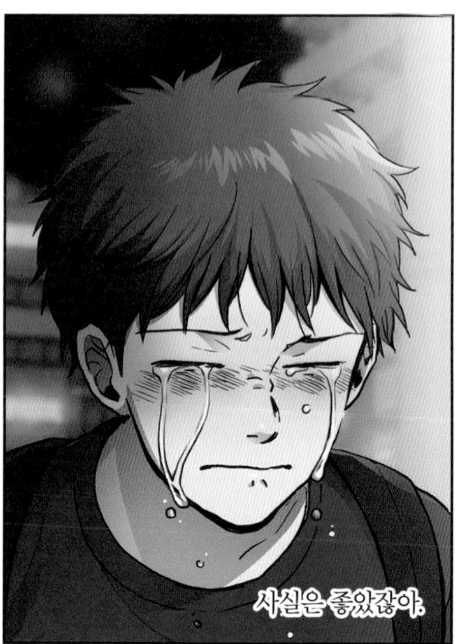
사실은 좋았잖아.

은하가 쏟는
애정이….

다소 지나친
관심들이.

은하와 있는
시간이….

신도연.
너 은하
좋아하잖아
그걸 들킬까 봐
일부러 그렇게
모질게 말한
거잖아.
진짜로
기분 나쁘고,
부담스럽고,
이상한 건…,
나였으면서….

블루레인빌

그럼….
짐은 바로 빼 오는 걸로 하고.
간단하게 몇 가지만 알려줄게.

너는
이 방을 쓰면 돼.

화장실은
여기고….
냉장고도 부엌도
마음대로 써.

저쪽 방은
그냥 빈방인데,
책이 좀 있으니
읽어도 돼.
그런데 별로
볼 건 없어….

그렇게
시간이 흘러….
세탁기랑 건조기는
내가 돌릴 테니 바구니에
옷만 잘 분류해서
넣으면….
아, 내가 할게.
옷 개는 것도.
지금이
되었다.
그 사건 이후로
나는 은하에게
거리를 뒀다.
수능이 마침
좋은 핑계였다.

대학에 합격하여
학교 근처에서
자취하기 위해
집을 나올 때
무척 슬퍼하며
자주
연락하겠다던…
은하의 얼굴이
생각난다.

내가 그렇게
피했는데도,
마지막까지
은하는 나를
미워하지 않았다.
아, 그리고
번호키는….

아,
아니야.
쳐다봐서
미안해.

…….
왜?
두근

…….
미안할 것까지야….

음… 짐은
언제 가져올 거야?
도와줄 테니까
말해.
아니야, 괜찮아.
얼마 안 되는걸….

그래…?
어색…

난 이제 잠깐 과제 좀 해야 하거든.
이따가 저녁이나 같이 먹자.
응, 알았어.

아,
저기….
고마워, 형.

이렇게 신세 지려던 건 아니었는데….
빨리 돈 벌어서 월세라도 빌려볼게.
미안해.

…이 집, 내 집도 아니고, 엄마가 너 걱정돼서 그러신 거니까 신경 쓰지 마.
그래도.
혼자 살다가 갑자기 남이랑 같이 살면 불편하잖아.

남….
타악
…괜찮다니까.
피곤할 텐데
좀 쉬어.

…….

나 잘했지?
으하아…
이상한 말
안 했지?

그래. 서은하가 나를
너무 좋아하기 때문에
만나고 싶지 않았다.

가족애일 것이
분명함에도
나는 그 감정을
착각할 것이
뻔하니까.
띠링
도연아,
은하 살 챙겨줘.
비록 엄마 때문에 헤어졌지만
은하는 가족이나 다름없잖아.
10:41
은하 많이 힘들 테니까
잘해줘라.
알겠지?
아무렴요.
후...

그래야죠….

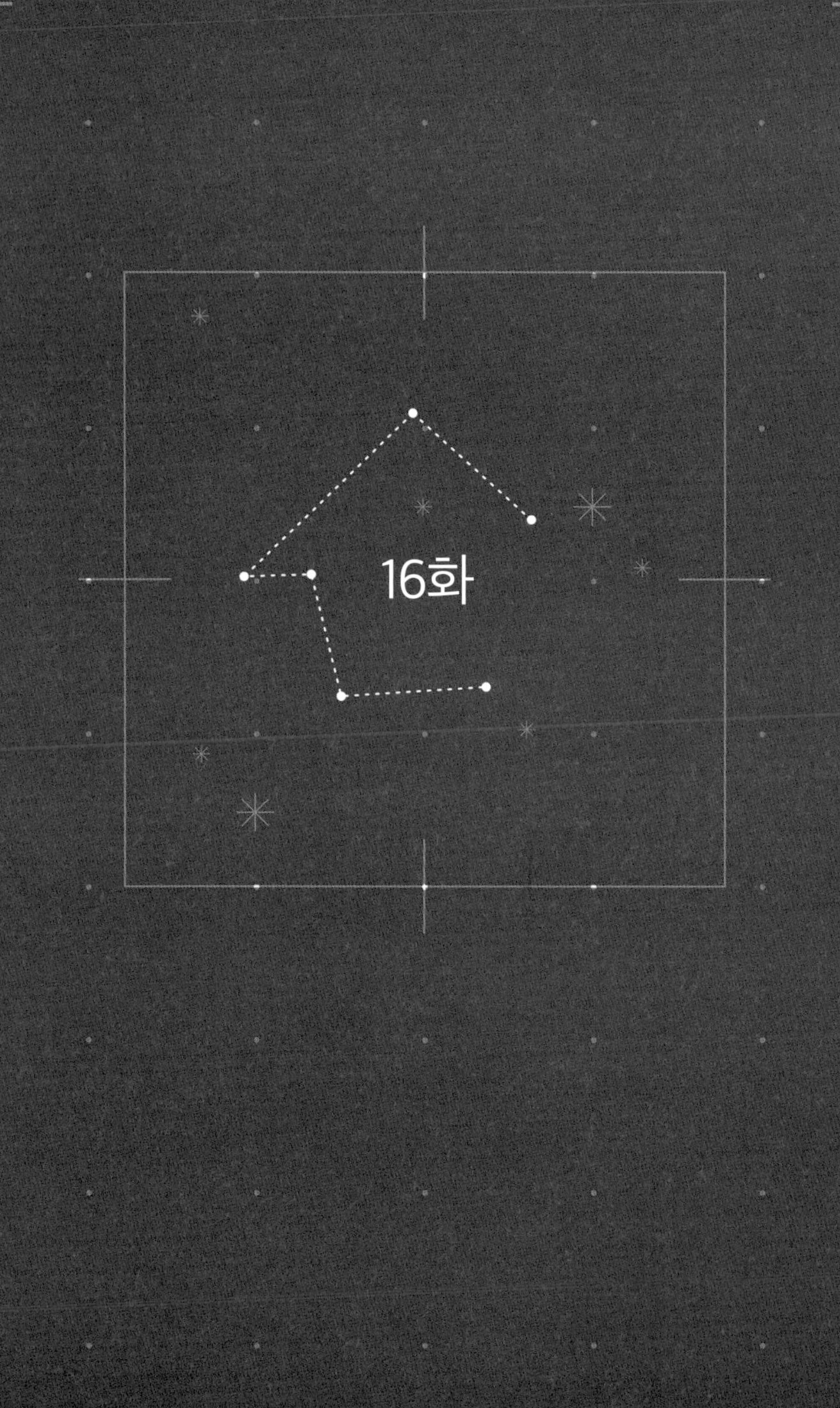

16화

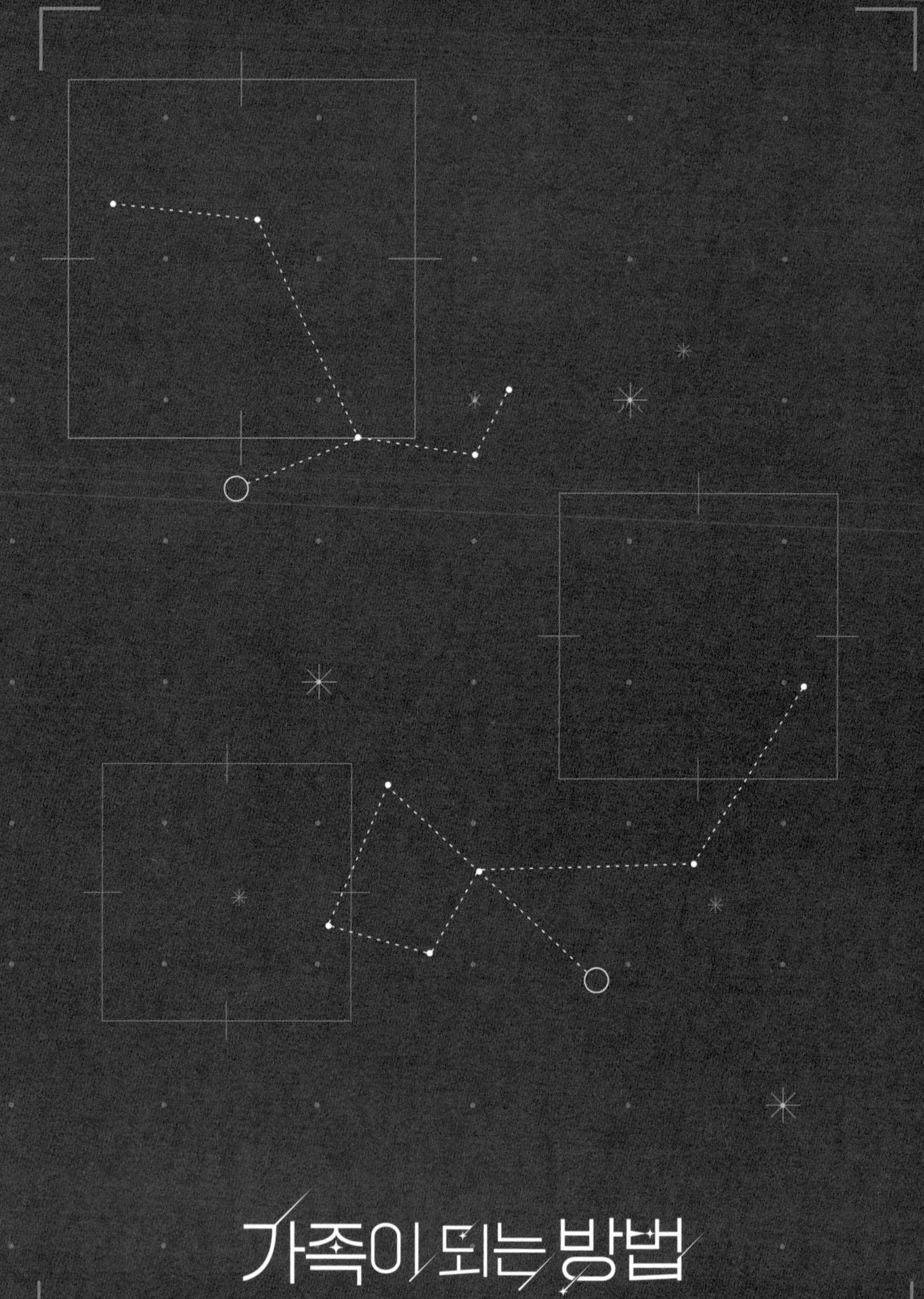
가족이 되는 방법

솔직히 엄청 기분 나쁘고 부담스러워.
너무 집착해서 무섭다고….
보통 가족끼리는 안 이러거든.
그럼….
갈게.
형.
형!
형….

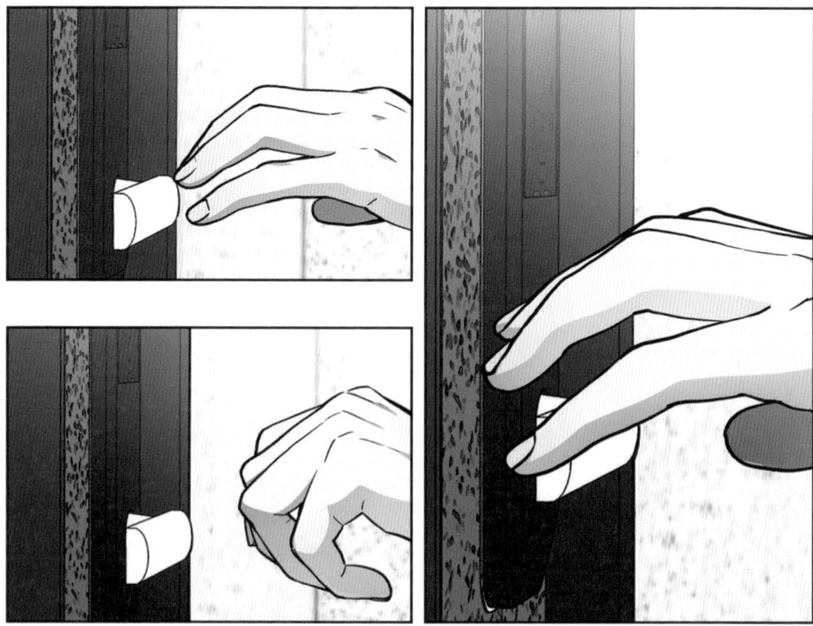

철컥…
16화

머리털 빠지게
고민한 결과….

내린 결론은
이렇다.

그냥…
은하와
잘 지낼 필요가
없다는 것.

만나보니
알겠어.
난 아직도
은하만 보면
마음이 술렁인다.

이런 상대라면…
내 마음을
감당 못 하고
또 은하를
피하게 될 거야.
당황해서
헛소리도
엄청 하겠지.

그야…
은하에게 옛날 일을
사과하고, 다시
잘 지내보자고 하는 게
제일 좋겠지만

애초에 잘 지낼
자신이 없으니
이대로 거리를
두는 게 나아.
미안해,
은하야.
그러므로….

집에…
이글
이글
아예
늦게 들어가는 게
내 작전이다!

어차피
밀린 과제가
쌓였어!
이글
이글 이글
끝날 때까지
집에 들어가지
않을 거야…!

…….

너…
뭐 하냐?
책은 뭐 하러
다 꺼냈어?
흐흐..
끝날 때까지
못 간다….
각오해라,
하성훈.

매일
늦게 들어가면
피하는 게 너무
티 날 테니까
적당히
늦게 들어가면
될 거야.

옛날처럼
지나치게
가깝지만
않으면 돼.
적당히
거리를 두면 돼,
그러면 돼.
그러면 돼….

악… 너무
늦게 왔어!
열두 시가 넘었네.
이렇게 늦을
생각은 없었는데….
헐레
벌떡
아무리 그래도
첫날인데
이건 좀 아니지.

…….

자고 있으려나?
아니,
안 잘 수도
있어….
안 자고 있다면
뭐라고 인사를
하지…?

…….
생각중…
…….

좋았어.
흐읍

삐삐삐
삐삐삐
삐리링
에잇!

끼익…

?
자나?

…?

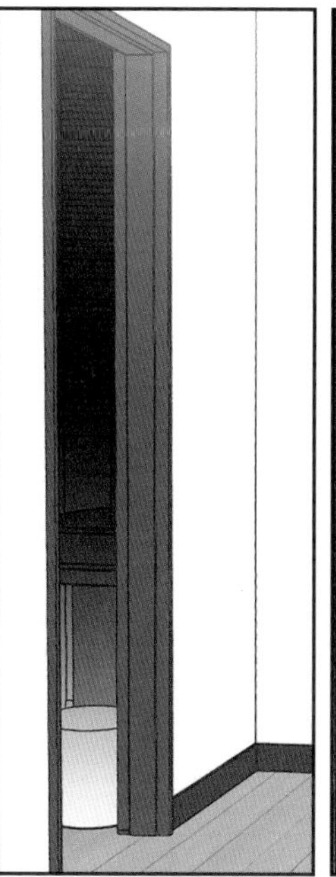

아무도 없네.

아… 카톡
와 있었구나.
깜빡하고
확인을 안 했네.
아침까지
알바라고?

알바…
그렇구나.
굳이 늦게
들어올 필요
없었잖아.
그랬구나…
뻘짓했네….
…….

…….
그런데….
집이
왜 이렇게
깨끗하지?

와!
이게 뭐야!
냉장고 청소까지
했잖아.

내일 보면
말해줘야겠다.
치카
치카
집안일을
이렇게까지 할
필요는 없다고.

일단
자야지….

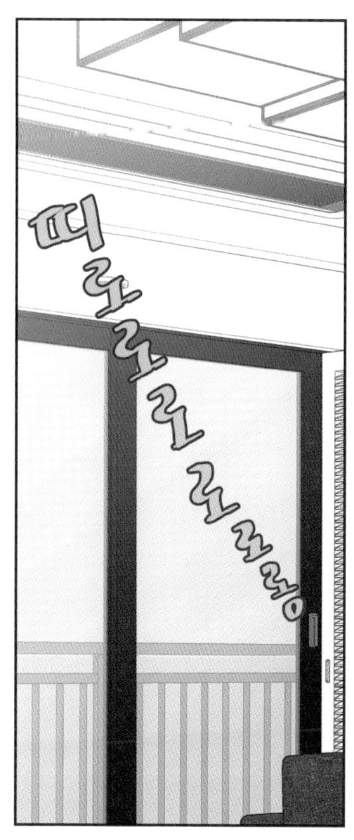
띠로로로 로로롱

여보세요?
응, 엄마.

별일 없지.
엄마는요?
응….

은하?
일주일 전에
들어왔지.
잘 지내냐고요?

사실 저도….
잘 지내지….
일주일 동안
은하를
못 봤어요.

이게
어떻게 된
일이지?
은하도 나를
피하는 건가?

아냐,
그랬다면 애초에
날 찾아오지
않았겠지.
그냥
알바가 바빠서
그런 걸 거야.

그런데…
아무리 바빠도
일주일이나
못 만날 수가 있나?

대체 은하는
어디서 뭘 하고
있는 거지?!
꽈득

꿀꺽
이다수
꿀꺽
꿀꺽
꿀꺽
이다수
꿀꺽
꿀꺽
푸하
후...

와, 진짜 더워
돌아가시겠네.
한 병
더 마실래요?
물 없었음 진짜
죽었을 수도
있겠어.
감사합니다.

근데 오늘
끝나고 뭐 해요?
다 같이 한잔하러 갈 건데
안 갈래요?
아…
끝나고 다른
알바가 있어서요.
네?

이것도
힘들어 죽겠는데
끝나고 또 알바를
간다고요?
아니,
그렇게 일하고도
몸이 멀쩡해요?

돈 때문에….
돈이 들어갈 곳이
많거든요.

아…
머쓱

뭐, 그럼
어쩔 수 없지….
지, 다시 가볼까요?
네.

푹

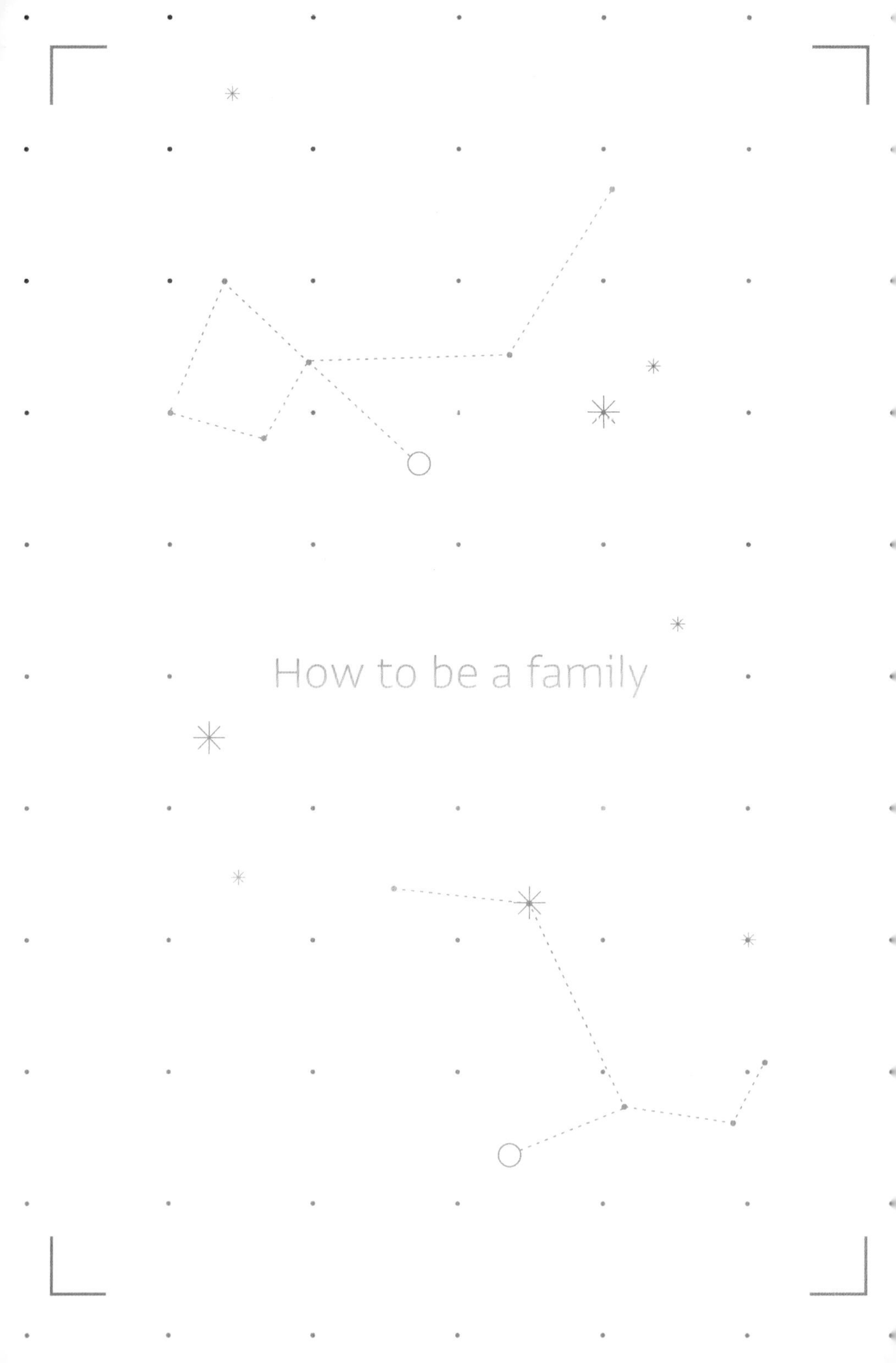
How to be a family

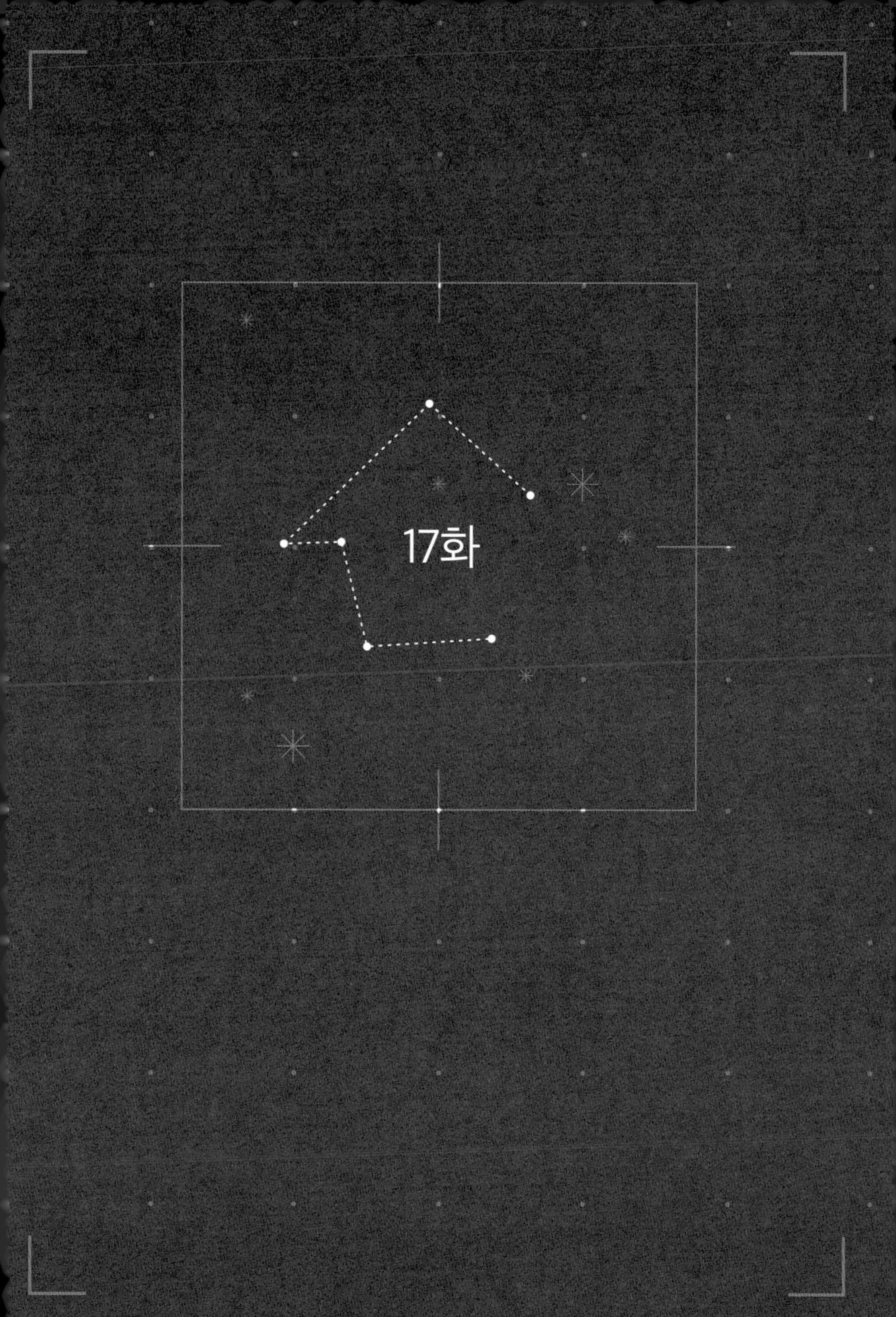

17화

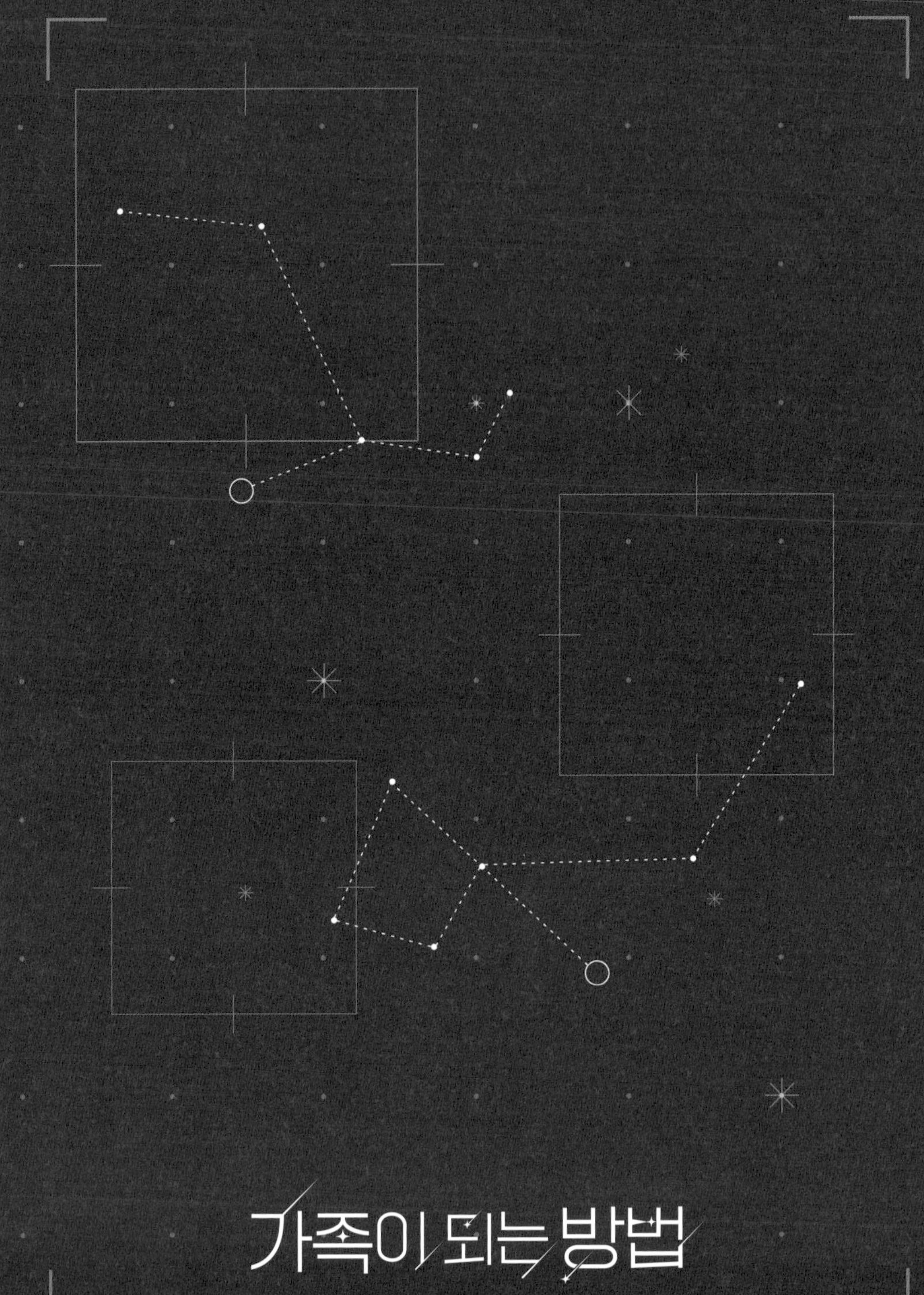
가족이 되는 방법

요 며칠 관찰한
은하의 일과는 이렇다.

사실 거의 못 봐서
관찰이라기보단 추측임.

게다가 알바를
하나만 하는 것도
아닌 것 같다.
카톡으로
물어봤음.

주로
당일 지급이 되는
단기 알바 위주로
하는 것 같은데….
택배
상하차!
인형탈!
주차!
듣기만 해도
힘들 것 같은 일
뿐이었다.

저거 저대로
괜찮을까?
건강 상할 텐데….
혹시
돈 문제가
심각한가?

그리고
알바 말고도….
덜컹

엉?!

가사 노동에도
많은 시간을
할애하는 것
같았다.
반짝
반짝
이게
뭐야!
냉장고가
번쩍거려!

집 안도… 무슨….
새로 입주한 것
같잖아.
내가 집안일
하지 말라고
했는데도!

이렇게까지
할 필요 없다고~!
이러다 과로사하겠어.
뭐라고 말이라도
해야겠다….

삐빅
삐삐빅
삐빅
헉!

후….

어?

드디어 만났다!
17화

자ㅏ
잔

형?
할 말이 있다고….
아, 어어. 별건 아니고, 어….
너 들어오고 제대로 얼굴 보는 게 처음이니까.

그….

물어볼 게 산더미인데,
뭐부터 물어보지?

생각나는 것부터 일단….
Q. 집안일은 적당히 해도 되는데 왜 이렇게 열심히 하는가?
신세 지는데 이 정도라도 해야지.
난 괜찮아, 형.

Q. 알바를 왜 이렇게 많이 하는가?
돈이 들어갈 데가 많아서….
형이랑 어머니 덕에 집세 걱정을 덜었어, 정말 고마워.

Q. 돈이 들어갈 곳이란?
생활비랑… 음… 이것저것….
복학하려면 학비도 필요하고….

Q. 이러다 건강이라도
상하면 어떡하려고?
음…
이 정도는 괜찮아.
나 생각보다
튼튼하거든.

Q. 혹시….
?

혹시….
아버… 아니,
그 인간이 빚이라도
떠넘긴 거 아니야?

빚?
아무리 그래도
돈을 너무 급하게
모으는 것 같아서.
혹시 그런 건
아닐까 하고….
만약 정말로
그런 거라면
도와줄 수
있으니까
혼자서
다 끌어안지 말고
나한테 얘기해….

하하하하하하!!
하하하!!
?!

아냐,
빚 같은 거 없어,
아니야!
뭐…
학자금 대출이라면
있지만….
?
??

정말…
변함이 없구나,
형은.
여전히 다정해.

아

이게 아닌데!
뭐 하냐, 지금!
거리를 두기로
했었으면서~!
삐질
삐질
어쨌든
고마워.
신경
안 써도 돼.

아버지가 남긴 빚 같은 건 정말 없지만….
돈이 필요한 건 맞아.
그래도 내 일은 내가 해결해야지.

…하지만 그렇게 일하다 건강이라도 상하면 병원비가 더 들어.
집 말고도 다른 것도 도울 수 있으니 부담 갖지 말고 얘기해주지….

그럴 수는 없지.
이제 가족도 아닌데.

그렇게까지….
신세 질 순
없어….

은하가….

은하가…
가족이 아니라고
했어?
은하가?!

그 새끼도 아직
아버지라고 부르는데
우리는 가족이
아니야?
헐…
우리가
그 개새끼보다
못한 거야??

우리가 얼마나
잘해줬는데.
서운
얼마나….

아니지….
엄마면 몰라도.
난 그 개자식보다
나을 거라는 보장이
없지 않나?
내가 했던 짓을
생각해보라고.

막말해놓고
사과도 안 했고.
계속 피하고
연락도 씹고.
나중엔 번호도
바꾸고….

양심이 있으면
가족이라고
말 못 하지.

…당연한 거야.
나한테
화내지 않는 게
이상할 정돈데,
뭐….

그리고 이런 걸 바라지 않았어? 거리 두려고 했잖아.
막상 은하가 선 그으니까 그건 또 싫어?
내가 무슨 짓을 하든 은하는 날 좋아해야 해? 이 양심 없는….

잠깐만….
?
그럼 은하는 왜 나랑 살기로 한 거지?

가정 1. 복수를 위해 찾아왔고 모두 연기다.
가정 2. 내가 또 질색할까 봐 일부러 거리를 두는 것이다.
가정 3. 오기 정말 싫었지만 돈이 없고 의지할 곳도 없어서 어쩔 수 없이 찾아왔다.
소설도 아니고….
…너무 자의식 과잉 같긴 한데 은하 성격을 생각해보면 가능하려나?
그런 것치곤 반가워하는 것 같았어….

정말로…
은하는…
왜 나를
찾아온 거지?
쏴아~
쏴아아아아

그러면….
쏴아아아아아.
형을 만나고 나서, 그 후는 어떡하실 건가요?

음 .

일단 하고 싶었던 것들을 전부 하고 나면….

그때야말로
다 끝이 나겠죠.

How to be a family

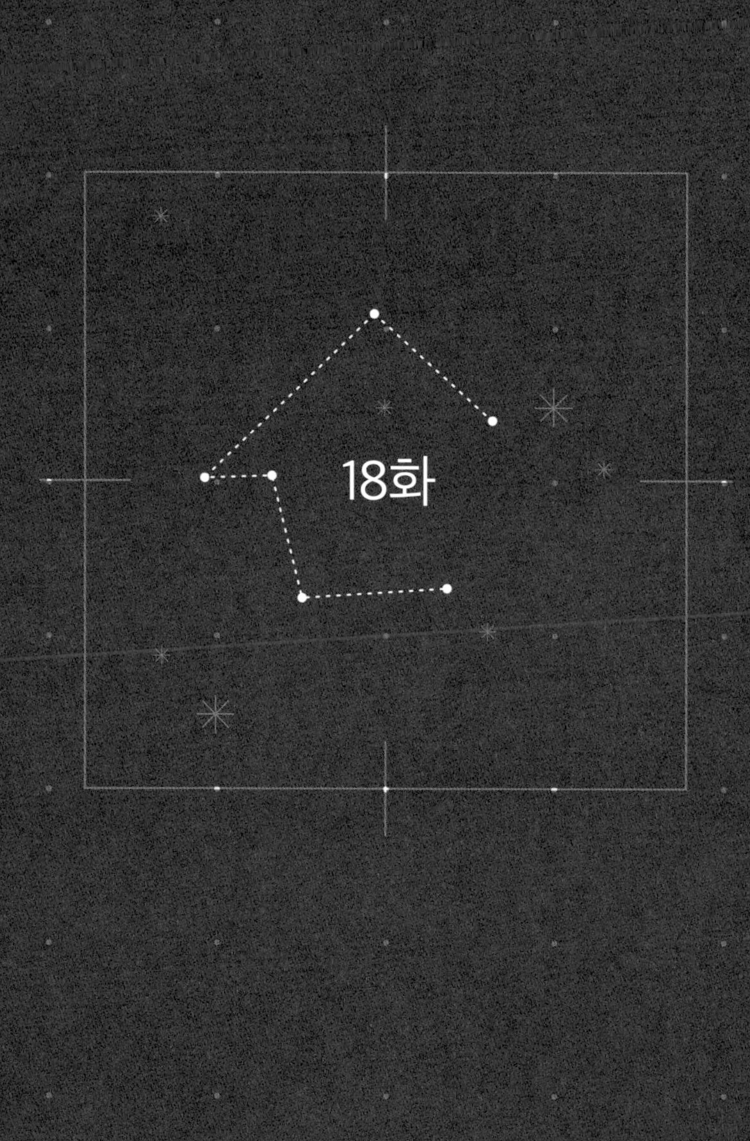

18화

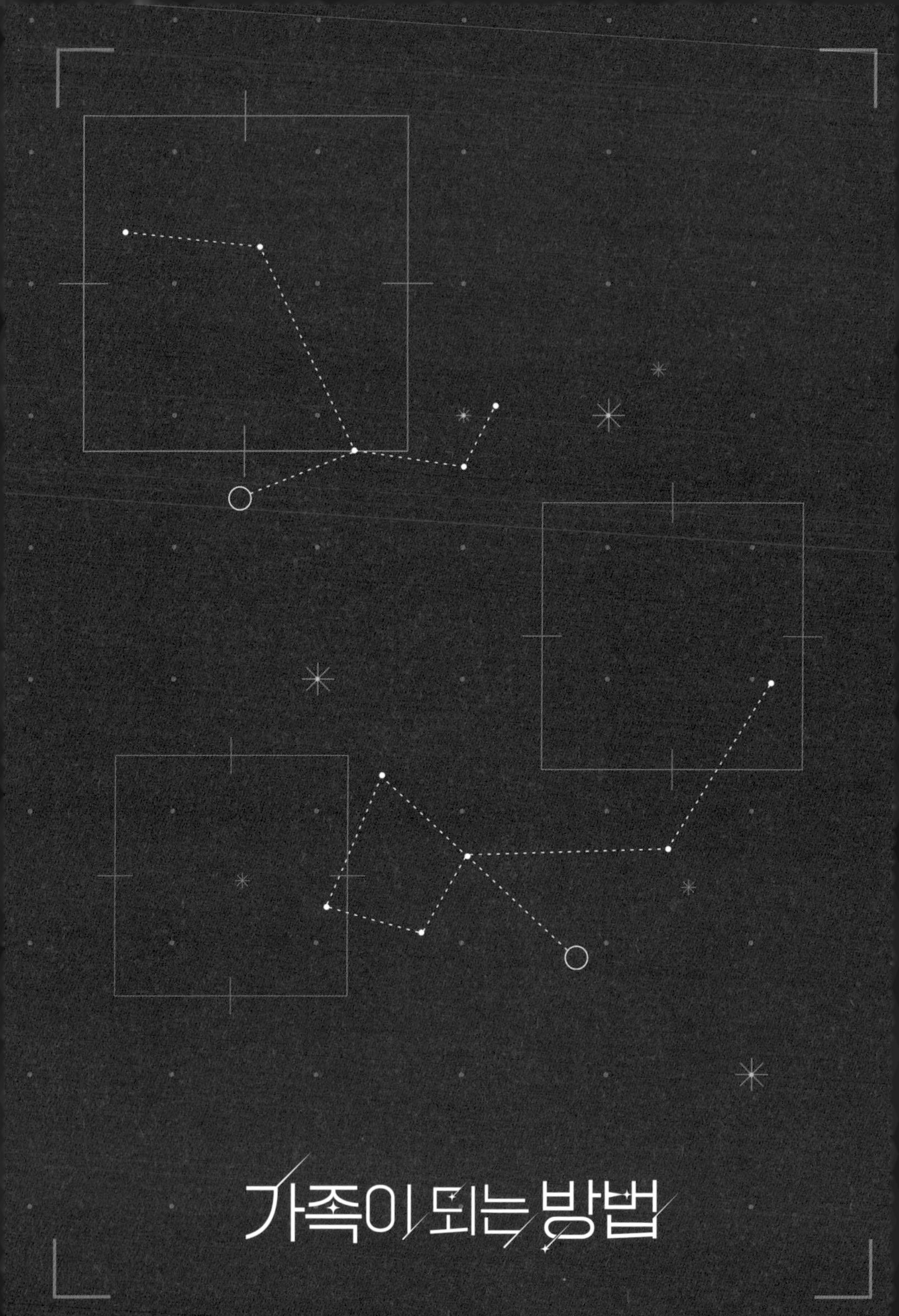
가족이 되는 방법

아!
어….

…상태 왜 이러냐?
내 상태가 뭐.

밥 먹으러 안 가?
상태가 이래서 가봐야겠다.
내일… 아니, 다음 주에 보자.

…….

아…
생각을 너무
많이 해서
피곤해.
그만
생각하자!

은하가
무슨 생각인지
왜 우리 집에
온 건지….
사실
몰라도 되는
거잖아.

안 그래도
은하랑
멀어지고
싶었으면서.
은하가
먼저 선을
그어준다는데
감사해야지.

그래…
이러면 됐어.
이러면
된 거야.
끼익…
이제
은하와 나는
예전 같지 않아.

받아들여야 해.
후루룩
같은 집에
살아도
거의
만날 일도
없고
후룩

대화도
별로 없고
그냥 그런
사이라고.

그냥 그런
사이….

쨰
쨰
쨰

형!
잘 잤어?

18화
아침 만들었는데
먹을래?

갑자기
뭐지?
아침밥?
밥?

형?

헉

이게 뭐라고
당황하고 그러냐.
그냥 아침밥인데.
어… 고마워.
잘 먹을게.
응.

…근데

엄청…
열심히 만들어
줬네.

아냐, 잡생각은
하지 말자.
생각이 많으니까
매번 휘둘리는 거
아니냐고.
냠
생각을 비우자,
아무 생각도
하지 말자….

냠 냠
…….
냠
…너 오늘
알바는?
안 나가?
냠 냠
어, 응.
오늘은…
형이랑 대화나
할까 하고.
냠…

꿀꺽…
대화…요?
응.
형 오늘 공강이랬지?

마침 날씨도 좋은데
밖에서 산책이나 할까?

어….
음.

아냐! 넘어가면 안 돼!
나 약속 때문에 금방 나가봐야 하거든.
거짓말
어… 나중에 하자.

아….

어쩔 수 없지, 그럼 다음에….
됐다!
휴

얼른 나가봐야
하지?
설거지는
내가 할게.
아냐,
내가 해도
되는데.
아직 시간
좀 있어….

아.
움찔

채앵

왜 그래?
어디 아파?
아…
별건 아니고
어깨가 좀….

아, 됐어.
둬!
내가 설거지
할게.
탁

쏴아아아아

어깨…
알바하다가 다쳤어?
달칵
달칵

응….
뭐, 금방 나을 거래. 괜찮아.

괜찮기는, 너 그러다가 과로사한다고.
알바를 줄일 순 없어?
우리가 도와줄 수 있다고 말했잖아.

그래도…
너무 신세 지는 것 같아서….

…….
그놈의
신세, 신세….
응?

뭐라고?
아니야,
아침 맛있게
잘 먹었다고.

형?

형, 혹시
화났어?
내가 뭐
잘못 말했어?
아니라니까.
그냥….

난 갑자기
왜 화가 난
거지?
은하가 나한테
선을 그어서?
그게 어쨌다고.
내가 먼저
그었잖아.

은하랑 나는 이제
예전 같지 않다고.
같은 집에 살아도
얼굴도 별로 볼 일 없고
대화도 없는
그냥 그런 사이잖아.
그냥 그런….
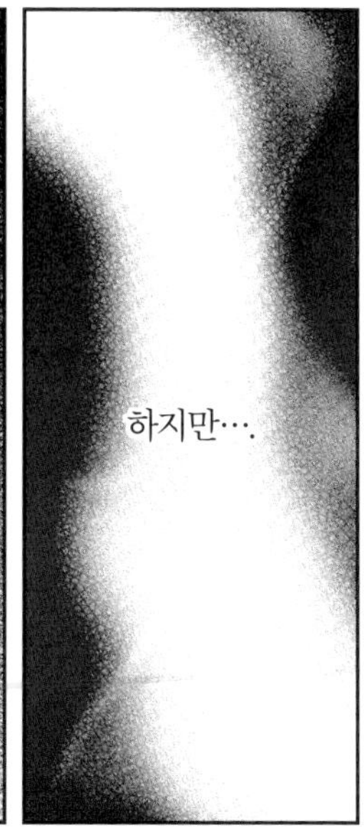
하지만….

난 이제….
걱정도 못 해?

응?

내가 이런 말 할 자격 없는 거 알아.
내가 먼저 널 피해놓고 이런 말 하는 거 웃긴 거 아는데.

근데… 그냥…
순수하게 네가 걱정되니까 그런 거거든.
네가 몸을 너무 혹사하니까….

그러니까
그냥…
내가 옛날
일이 미안해서
이러는 거니까….
그냥…
사과받는 셈치고
맘 편히 도움
받으라고….

…….

나 지금
뭐라는거야?
이런 말
할 생각은
없었는데.
이걸 어떻게
수습하지?

아, 진짜
망했다….
그럼….

내 부탁
들어주면….
나도 형이 주는
도움 받을게.

…….
어?

딱 다섯 가지만
내가
무슨 부탁을 하든
들어줄래?
묻지도
따지지도 말고.
딱 다섯 가지만.

…안 될까?

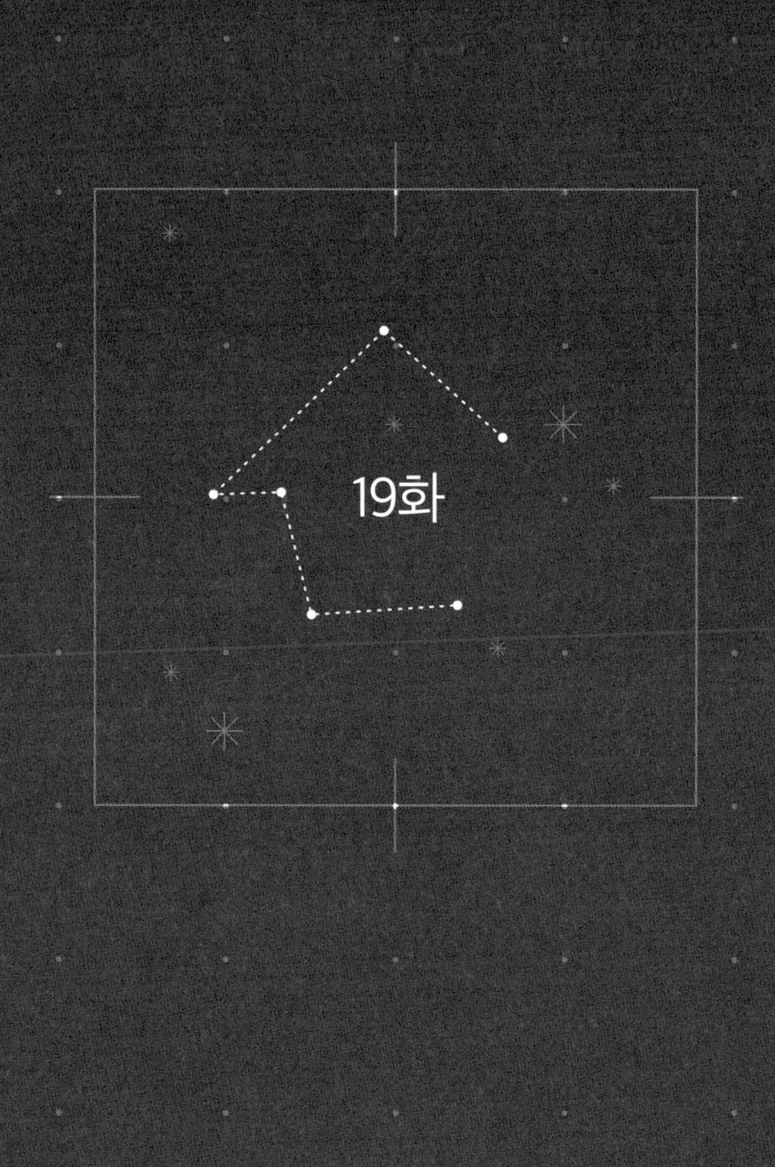

19화

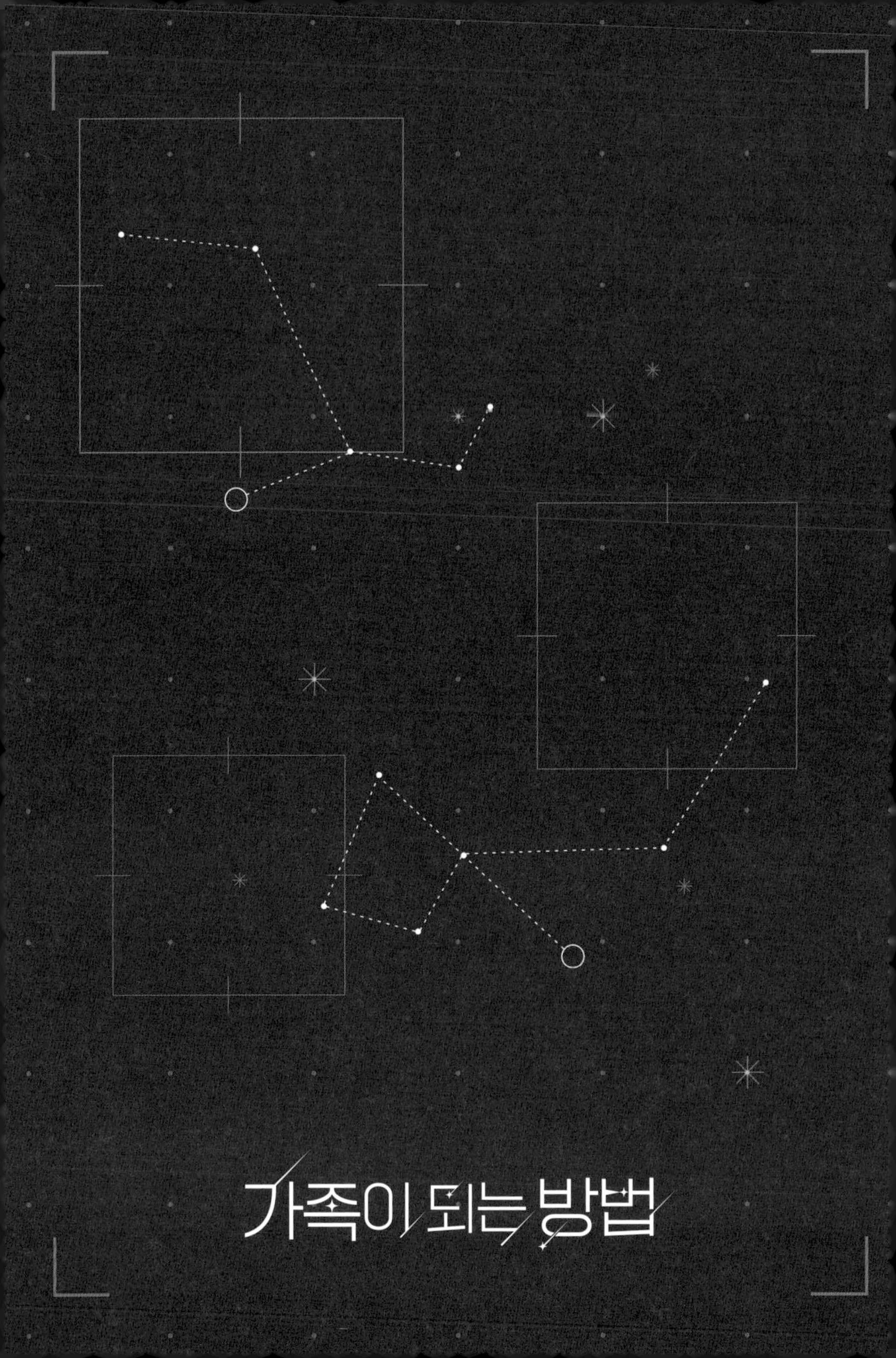
가족이 되는 방법

형!
아침 먹어.

응….

우와…
맛있겠다.
형이
좋아하는 것만
만들었어.

…….

은하야.
이게….

맞아.

이게 마지막
부탁이야.

덥석

어, 우와.
맛있….

울컥

?
?
?
울컥
울컥
?

컥…
…!

휘청
으…
털썩

으,
은하,
야….
아….
주르륵

번
우와아
아아아
아악!!
쩌억

쩌억
쩌억
쩌억

쩌억
무슨…
꿈을
꿔도….
이런 꿈을….
쩌억
쩌억

19화

형, 잘 잤어?
아침 먹어!

꿈이랑 똑같아
…?
왜 그래?

어…
내가 밥 안 해줘도
된다고 했잖아.
너 어깨도
아직….

?

첫 번째 부탁.
매일 내가 만든 아침을 먹어줄 것.

스쳐지나가는 꿈속의 기억
?
아냐, 아냐.
그건 그냥 개꿈이잖아.

이런 말도 안 되는 생각이나 하고.
헉
은하한테 미안하게….

안 돼. 너 어깨도 아픈데….
슥

묻지도 따지지도 말고.
약속했잖아?

윽…

…알았어!
알바 줄인 거
맞지?
응.

그럼 나도….
뒤적

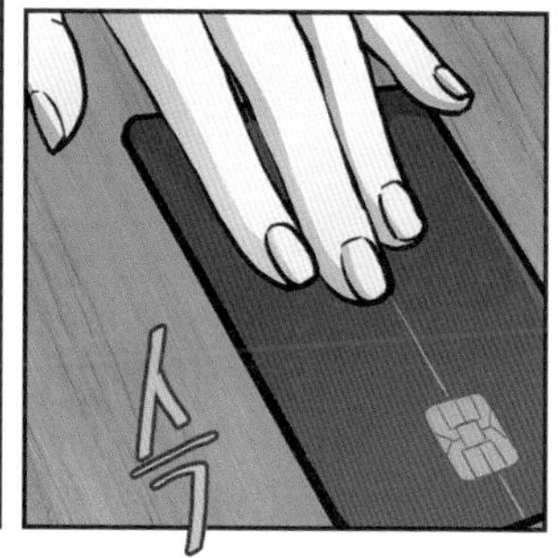

슥

엄마가
너 쓰라고 주신
카드야.
네가 계속
신세 지기 싫다고 해서
꺼낼 기회가 없었는데.

이제 이거를 써.
알겠지?
현금이 필요하면
따로 얘기하고.
엄마한테 너는
가족이니까…
사양하지 말고
받아.

…응.
감사하다고
연락드려야겠다….

그래도…
알바 하나 정도는
해도 괜찮지?

…그래, 뭐.
너무
무리하지만
않는다면야….
응!

그럼…
얼른 먹자.
잘 먹을게.
응.

맞다, 형.
알바하는 곳에서
받은 게 있는데….
하필 메뉴도
꿈이랑 똑같네.
응?

유월드
자유이용권을
받았거든.
응.
냠

같이 가지
않을래?
꿀꺽

…….
어딜
가자고?
유월드!
놀이공원!

그걸 왜
나랑…
…….
척

두 번째
부탁!

은하, 너….
대체 나랑….
잔 잔 잔
자자 자 잔
짜라라 란

뭘 하고
싶은 거야…?
짠 짠
짜잔 잔 잔
꿈과
희망의~
형!
입구는
이쪽이야!
WORLD
월드
UNIVERSE
나라로~

자유이용권은
나한테 있으니까
바로 들어가면 돼.
정말 재밌겠다.
그치?
옛날에
많이 와서, 별로
감흥이 없는데.
은하, 너….
놀이공원
좋아했었어?

그렇다기
보단…
놀이공원에
놀러 와본 적이
없거든.
여기서
알바하다 보니까,
놀러도 와보고
싶어져서.

죄책감
푹

아, 뭐야!
괜히 미안해
지게!
에라,
모르겠다.
놀자!
WORLD
와~
가자!
신나게 놀자!!

아, 잠깐만!
형, 잠깐만!
또 왜?

스윽

…….
잘 어울린다.

형이 쓴 거
보고 싶었어.

…….
너도 써리.
푹
아얏, 살살….
가자! 얼른.
계산 좀
잠깐만, 같이 가!
아, 진짜.
두근
큰일 났다.
두근
두근
이러면 안 되는데….
두근
두근
두근
두근
큰일 났어….
두근

How to be a family

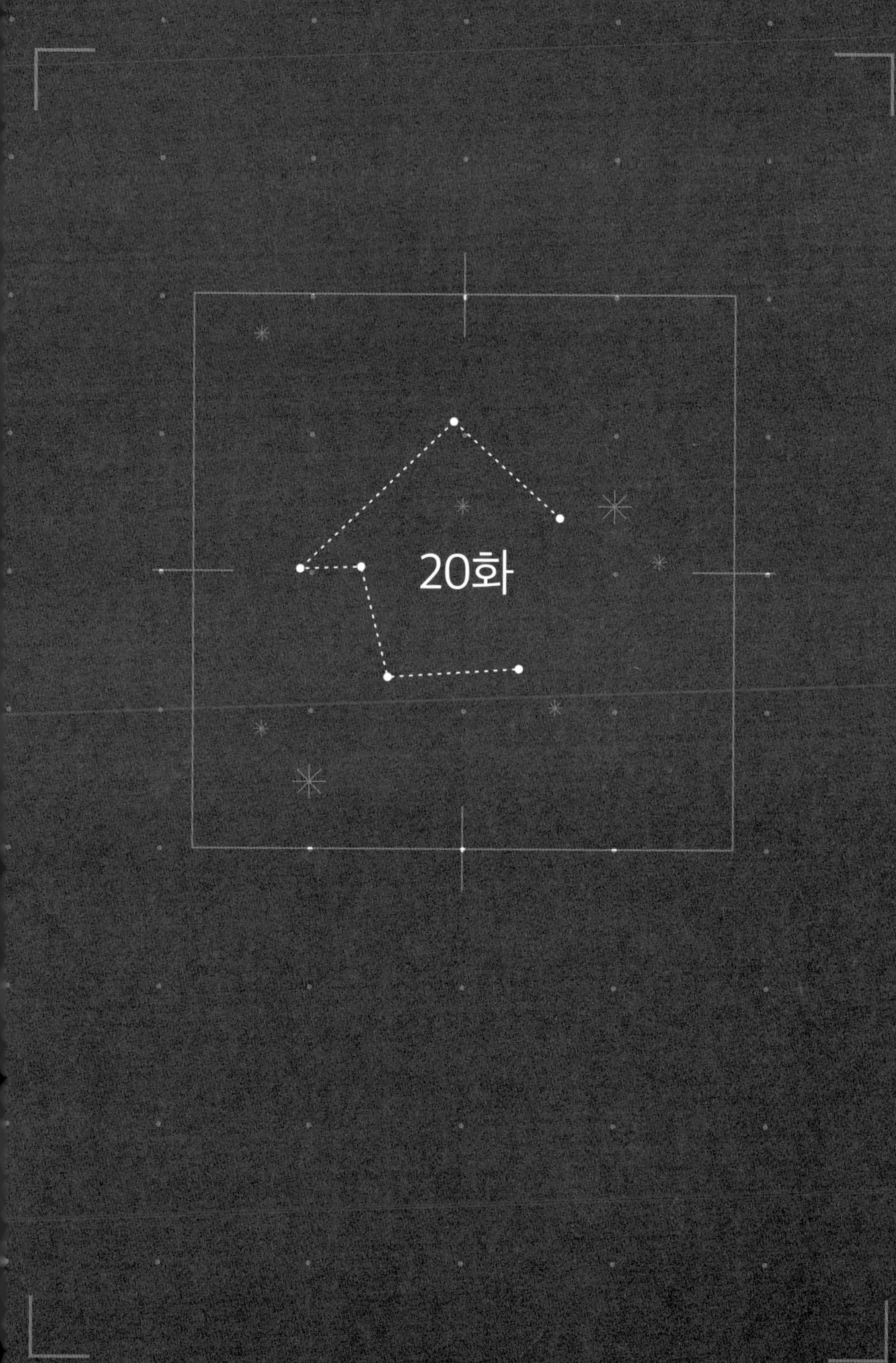
20화

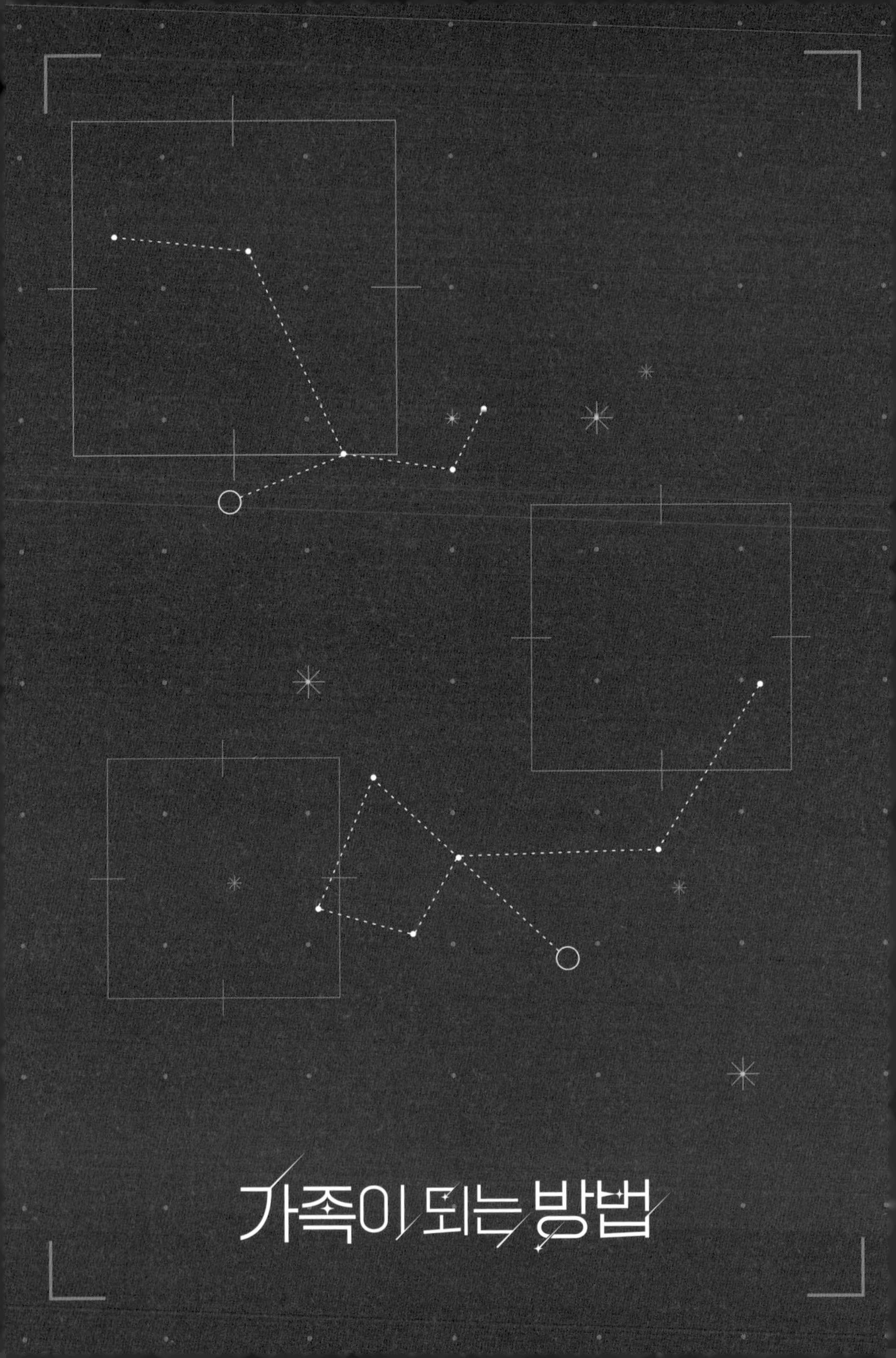
가족이 되는 방법

좋아!
그럼….

뭐부터
타볼까?

뭐가
재밌어?
음…
바이킹?
롤러코스터?
후룸라이드…?

형이
좋아하는 거
타자.
네가
오고 싶어서
온 거잖아.
네가
골라야지.

그럼
이건 어때?
월드 패스를
쓰면 빨리
탈 수 있을 거
같은데….
어디?
봐봐.

사락

괜찮네!
그걸로 하자,
그럼.
응.

시간은
제일 가까운 거
할까?
아니면 좀 더
돌아보고?
두근
두근
응…
제일 가까운 거
해….
두근

두근

정신 차려!

갑자기 왜 이렇게
헬렐레하고 그래.
놀러 나왔다고
정신줄까지 놓았어?
마인드
컨트롤하자.

오늘은 그냥
가족이랑 놀러
온 거다….
찰싹
찰싹
가족이랑
온 거다….

엇.
비틀

꽉

두근

그런데….

오늘따라 왜 이렇게
착각하게 만드는 거야!

하아….

힘들다….
설레는데
힘겨운 이 상황
대체 뭐지….

정신 똑바로
챙겨야 하는데
은하는
오늘따라 더욱
들러붙고….

집에
가고 싶다.
훌쩍

형!
여기 봐!

찰칵

뭐야?
음….

그냥
찍고 싶어서?

ㅋㅋ
뭐야….
두근
왜?
찍으면
안 돼?
아니, 그런 건
아닌데….

형, 뒤에
봐봐.
왜?
뭐 있어?

샤라랑

……그러게.
참 찍고 싶어지겠네…
그치?

포즈 잡아봐!
ㅋㅋ
아, 싫어. 부끄럽게….

하…

꼭…
은하랑
거리를
둬야 하나?

형.
포즈!
아무거나!

어?
헉
어어, 어.

이렇게?
무슨
말도 안 되는
생각을 하고 있어.
거리를
안 두면 뭐…
고백이라도 하게?

이제 가족이
아니라고
해서
은하가 나를
가족으로 안 본다고
해서
은하가 날
좋아해주기는
한대?

결국은 또
멀어지기만
할 거라고.
어차피
짝사랑일
거니까.

하지만
은하가
잘해주면
자꾸
혹시나…
싫어져.

은하의
다정함에
내가 원하는
의미는
없다는 걸
알면서도….
곧 8시 정각부터
월드 매직 페스티벌 쇼가
시작됩니다.

하늘을 수놓는
아름다운 불꽃들을
감상하세요.

불꽃놀이
재밌겠다.
기대돼.
그래?
알바하면서 많이
보지 않았어?

응, 근무지가
정해져 있어서….
보더라도
멀리서밖에
못 봐.
진짜?
보고 싶어도
못 본다니
아쉽겠다.

음…
불꽃놀이를 보고 싶었다기보단
형이랑 같이 보고 싶은 거였지.

물어보면…
은하야.

뭐라고 대답할까?
응?

퍼엉
혹시 날 좋아해?

어떡해!
나 지금
입 밖으로
말한 거야?
들었나?
못 들었지?
못 들었겠지?

펑
제발.
제발….
펑
?
…….
팡

살았다….
휴…
뭐라고
했어?
불쑥

톡 톡

날…
원망
안 해?

아…
또 무슨 말을
한 거야.
망했다….

근데
궁금해.
사실 계속
물어보고 싶었는데,
무서워서….

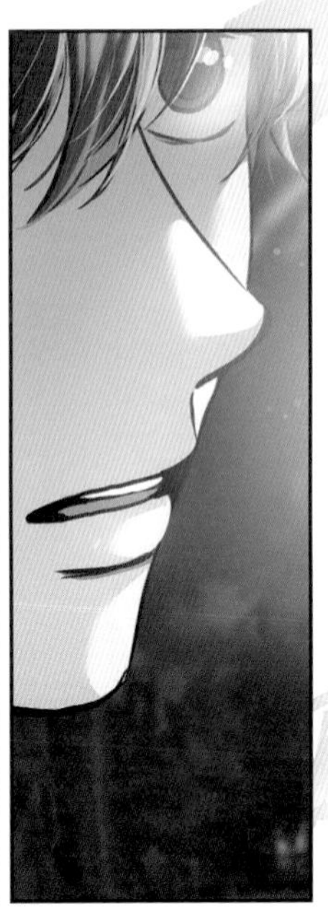

스윽

·········
············.

그럴 리가
없잖아.
내가….

형을 얼마나
좋아하는데.

21화

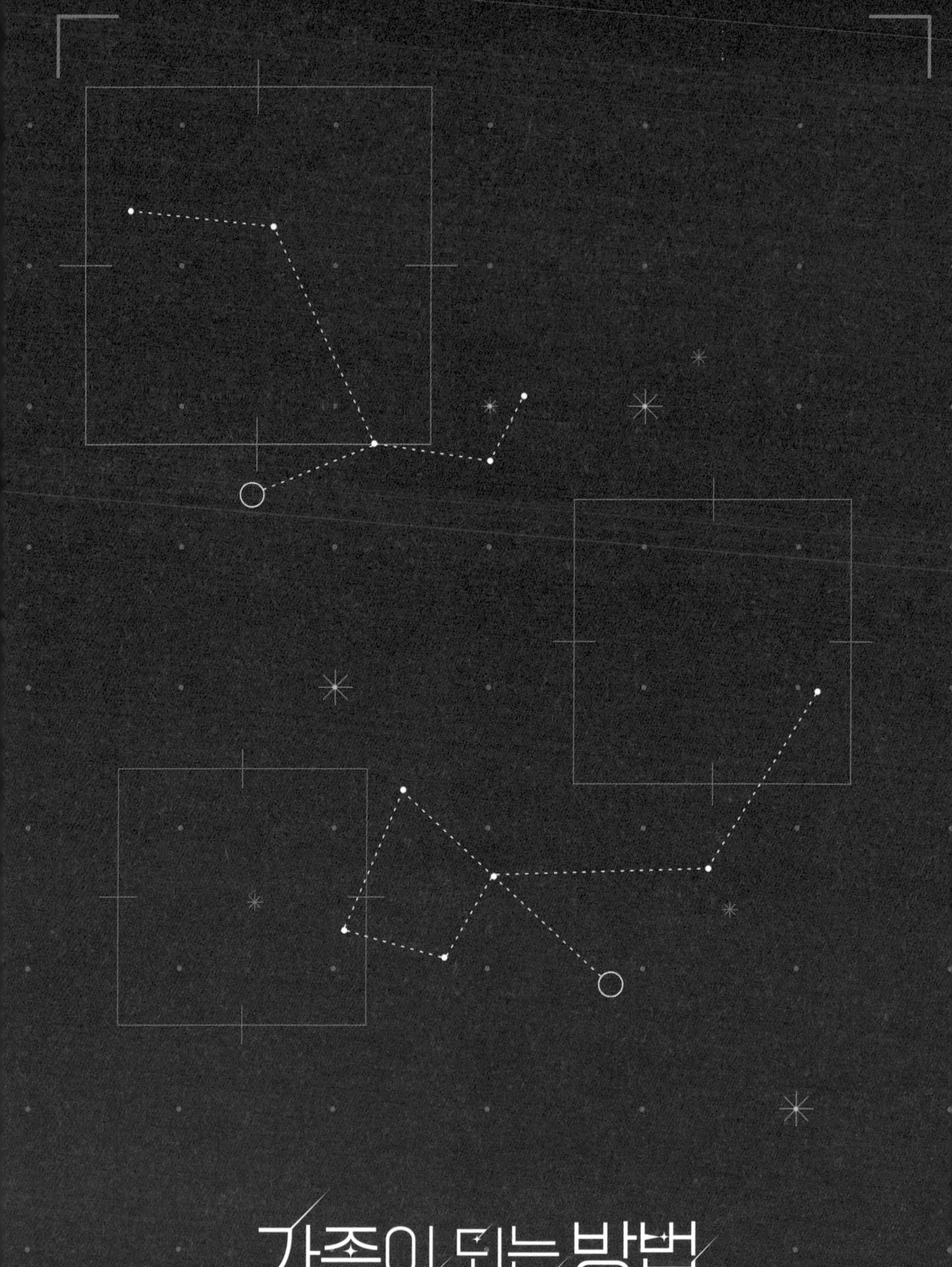

가족이 되는 방법

멍……

멍…

나 요즘 너한테
이 말만 하는 거
같은데.
괜찮냐?

아니, 진짜….
괜찮냐고 묻는 것도
한두 번이지….
이럴 거면 그냥
말을 해.
이렇게
티 낼 거면.

…있잖아….
어, 그래.

내가 혀…
아니.
내가 너를 얼마나 좋아하는데….
후룩
?

…라는 말을 들었는데, 이거 고백일까?
왈칵

슥슥…

네가 충격받을까 봐 지금까지 비밀로 했지만….
세상 사람들은 그런 말을 인사처럼 한단다.
죽고 싶니?

농담이고… 신도연 너가 연애에 관심 갖는 걸 처음 봐서, 신기해서 그런다.
그랬었나?
아무튼 그런 말을 들었다고? 누군데?
너…
가 모르는 애.

뭐, 그 말만 놓고
봤을 땐 모르지.

앞뒤 맥락이나
분위기는 네가 더
잘 알 거 아냐?

나는….
음….

잘….
모르겠어….

21화

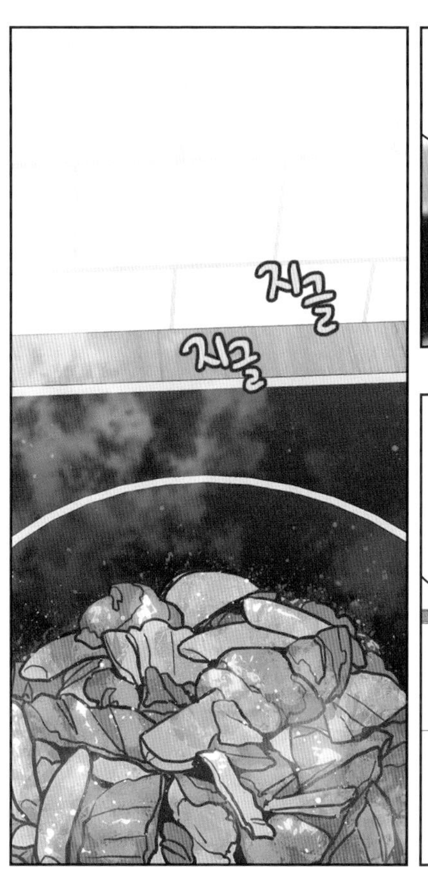
지글
지글

어디
보자…,
Yun Tube
만능양념장만 있으면 누구나 만들수 있다! 사먹는 맛 100% 보장 닭갈비

마늘 넣고
볶다가
마지막에
후추를 살짝.

드륵
드륵

후-
후-

음!
맛있다.

은하도 참….
어깨 물리치료 받는 와중에도 밥은 자기가 하겠다고 하니….

그럴 리가 없잖아.

내가 형을
얼마나 좋아하는데.

으!
화아

으악~!
계속 생각나잖아. 미치겠네….
아아악
그 뒤에 한마디도 못 하고 집에 왔다.

진짜 뭔데?
무슨 뜻이냐고.
아오!
서운하 너는 진짜~.

…….
아냐.

몇 번을 생각해도 아니야.
다른 사람이라면 100% 나한테 마음 있구나 싶었겠지만
솔직히 은하라서 확신할 수가 없어.
은하는 여태까지….

그것보다 더…
더한….
심란
말과 행동도 했던 애야….

형?
화들짝
왁!!

괜찮아?
어디 아파?
왜 여기서
쪼그리고
있어.
아니,
아냐.
괜찮아.
두근
두근
벌렁

언제 왔어?
병원은 잘
다녀왔고?
방금.
별거 아니라서
금방 끝났어.

어…
밥해놓은
거야?
됐으면 내가
했을 텐데.
환자 부려먹는
사람 만들지
마세요~.

지금 먹을 거지?
밥 차릴게.
응, 알았어.
금방 갈게.

탁
그래,
은하한테 난…
그냥 친하게
지내고 싶은 형,
뭐 그 정도겠지.
가족은 아니어도
가깝게는 지내고 싶은?
그냥 그 정도….

일단, 그래.
적어도 예전
일로 원망하는 것
같지는 않다.
그 정도까지만
생각해야지.

…….

근데 잠깐…
은하가 남자를
좋아하긴 할까?
왜 생각해
본 적이
없었지?
정답:
가족 관계에만
정신이 팔려서.
?
…혀…
형….

형!
왜?
왜,
무슨 일이야.
깜짝
이거 봐봐.

짠.

?
뭐야?
웬 신발?
이리 와서
앉아봐.

지나가다
형 생각이 나서.
걱정하지 마,
내 돈으로 샀어.
뭐? 안 되지!
너 힘든데….
부스럭
부스럭
이 정도
살 돈은 있어.

너무 신경
쓰지 마.
그냥 형한테
내 돈으로 선물 하나
해주고 싶었거든.

형이 해준 게
참 많은데 나는
해준 게 없어서….
너가 한 게
왜 없어….
청소, 빨래, 요리,
장보기까지
다 했으면서….

신어
볼래?
어, 응.
뽁

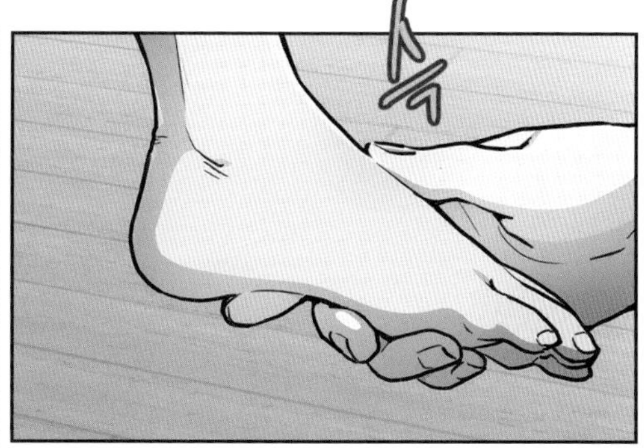
스륵

?!

아니!
아니, 진짜.

얘는 진짜
왜 이렇게…
과하지….
어때?
이거
괜찮지.

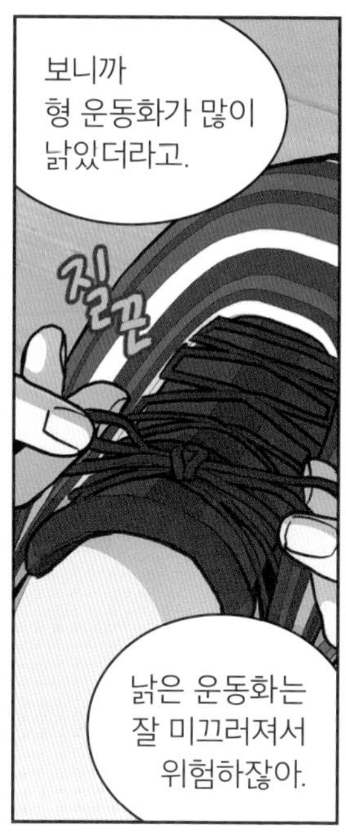

보니까
형 운동화가 많이
낡았더라고.
질끈
낡은 운동화는
잘 미끄러져서
위험하잖아.

지쳤음
맘에 들어?
응…
고마워….

얼른…
얼른
밥 먹자.
응!

냠냠
냠
맛있다.
진짜 맛있어.

냠냠
형, 정말
요리도 너무
잘한다.

정말
변함이 없구나,
형은.
여전히
다정해.
딱
다섯 가지만…
내가 무슨
부탁을 하든
들어줘.
잘 어울린다.
형이 쓴 거
보고 싶었어.

내가…
형을 얼마나
좋아하는데.

에이…
아냐,
아닐 거야.
이런 일은
많았잖아.

의미 부여하지 마.
은하 쟤는
원래 저러니까.
게다가
은하가 남자를
좋아하지 않을
수도 있고
만약 남자를
좋아한다고 해도
난 안 될 수도
있는 거야.

…근데…
만약…
혹시나….

혹시나 은하도….
나를
좋아한다면….

아…
큰일 났네.
응? 왜?

뭐가 큰일이야?
아무것도 아니야. 먹어, 먹어.

더 있으니까 더 먹어.
많이 먹어!

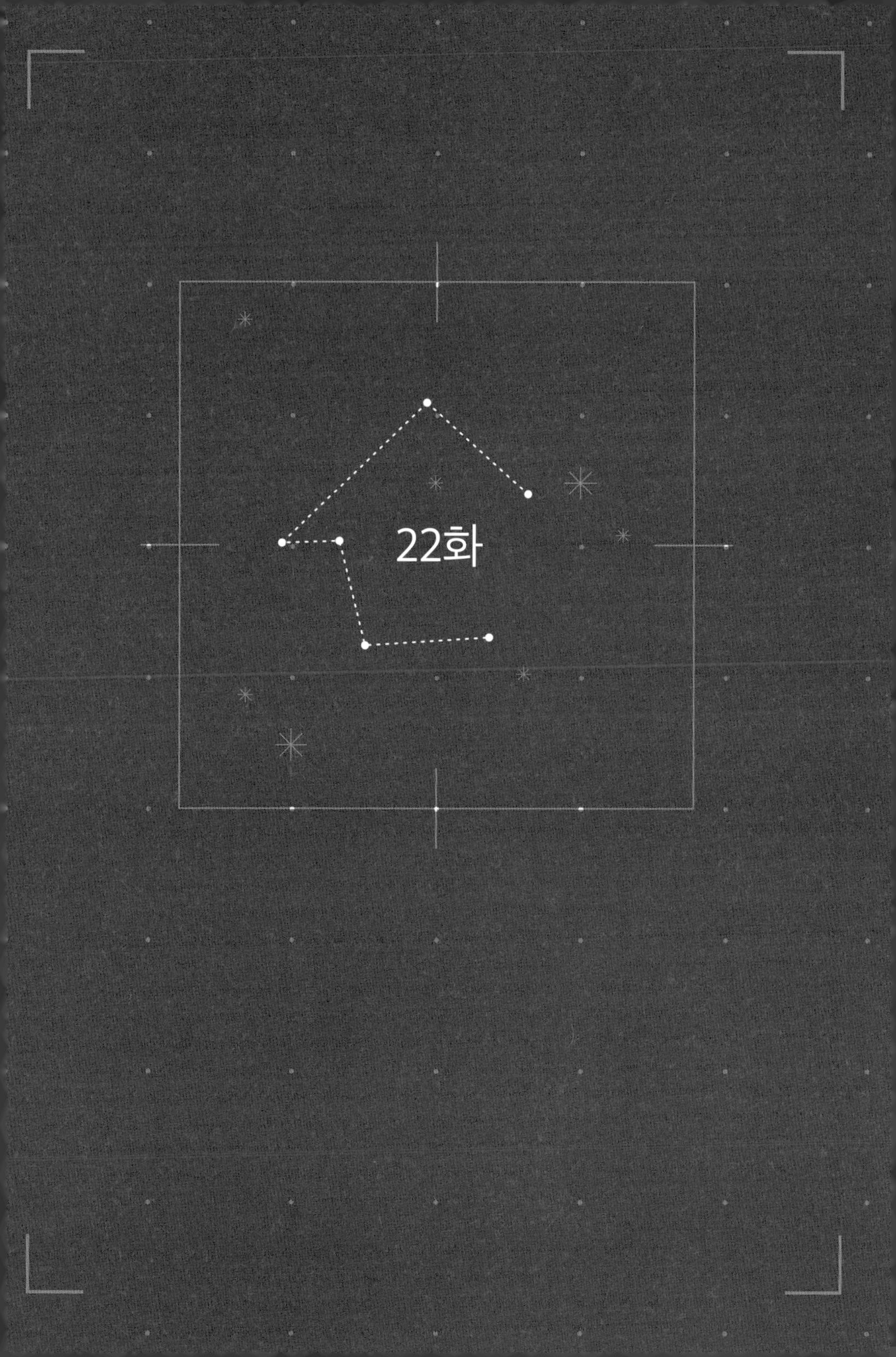
22화

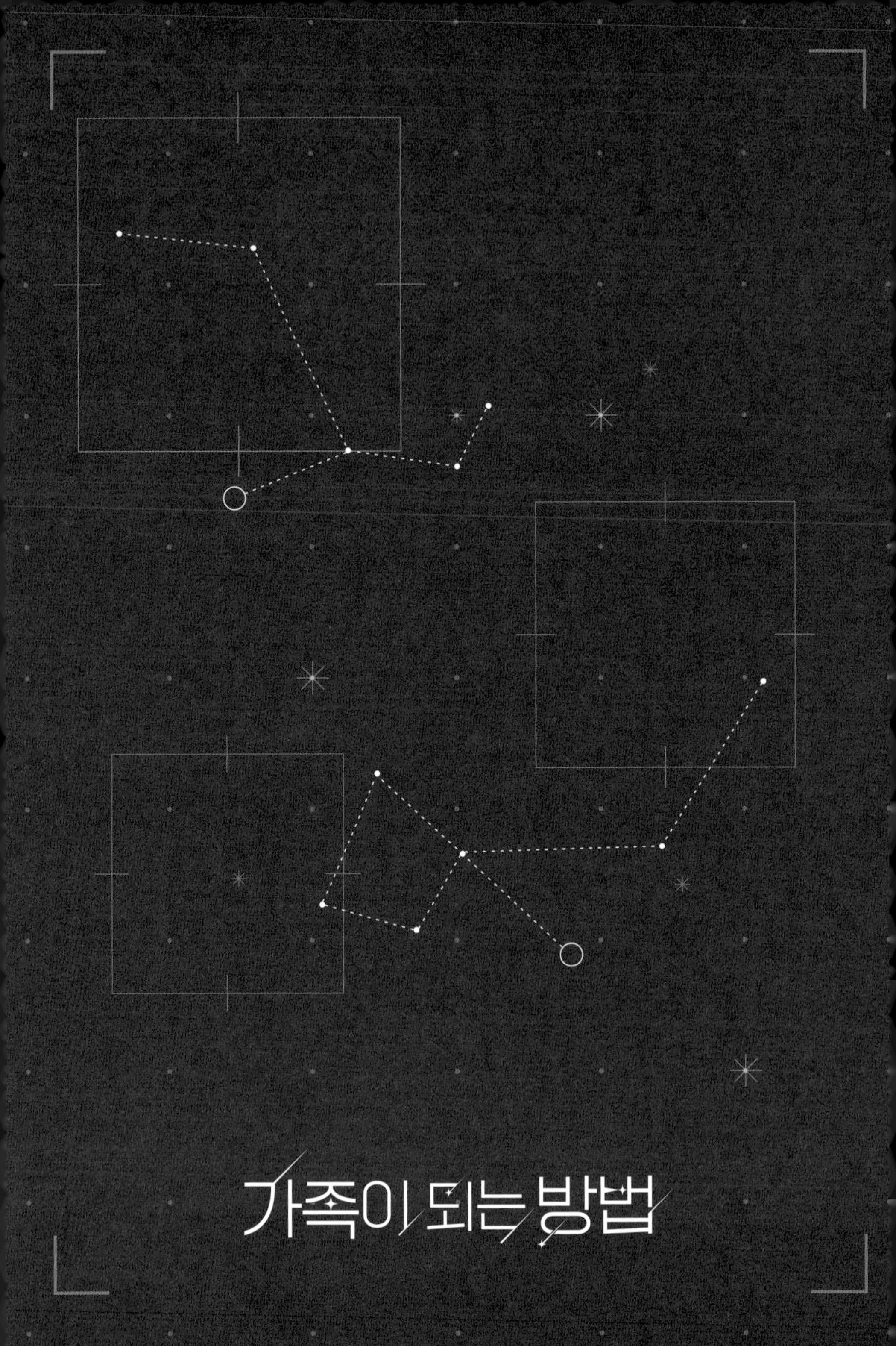
가족이 되는 방법

웅성
웅성
웅성

아!

다 끝났지? 밥 먹으러 가자.
그래.
쌀국수 먹고 싶다.

이따가 과 모임 갈 거야?
거길 왜 가. 우리가 가서 뭐 한다고….

그래?
흠~
왜.

고백받았다는 애가
일단 우리 과는
아닌가 보네.
꿀꺽

알아내서
뭐 하려고!
궁금하잖아.

친군데
안 알려줄
거야?
성훈이
섭섭해용.
너가
할 말은 아니지.

너 예전에
승희 만날 때!
너네 사귀고
반년 뒤에나
알았거든, 난?!
예전에 성훈이
만나던 사람.
안 궁금해
했잖아.
몰랐으니까!

아무튼, 나는
얘기 안 할 거니까
궁금해하지 마.
너 모르는
사람이라고
했잖아.
흠~ 정말로?

됐고 얼른
쌀국수나
먹으러….
응?
은하가 전화
했었네.

어딜
훔쳐보는 거야….
궁금해하지
말라고 했잖아….
성훈이는
알고 싶은데용.

형!

어?
웬일이야?
여기는.
어떻게 알고
왔어?
안 받길래
카톡 남기려
했는데 어떻게 딱
만났네.
그냥
지나가다가
들렀어.
서은하?

서은하…
맞지?

응, 내가
애기했었지?
둘이 오랜만에
보는 거네.

무슨 얘기?

어~…….

맞다!
얘기 안 했었다!

완전
까먹고 있었네.
성훈이한테
말 안 한다고
뭐라고 해놓고 나도
마찬가지잖아.

아니, 뭐
지금 말하면
되지?
깜박했네,
말한 줄 알고.
은하, 우리랑
다시 같이 살아.

진짜
오랜만에 봤다~.
그치?
HA
HA
HA

조용...

?

오랜만이에요,
성훈이 형.
여기서 다시 보니
너무 반가워요.

어…
…….
그러게.

다시 조용...

?
?
뭐지?
왜 이러지….

형,
다 끝난 거지?
이제 집에 가는
거야?
어… 아니,
성훈이랑 밥
먹으러 가.

잘됐다!
나도 마침 밥
먹으려 했는데.
모처럼인데
얘기도 할 겸
같이 가도 돼요?

그…럴까?
성훈이,
너는 괜찮아?

…….
그래, 가자.

분위기 진짜…
왜 이러냐.

은하는 괜찮은데….
성훈이가 좀 이상한데.
왜?

내가 말을 안 해서 화났나?
은하가 온 거.

아니면 혹시…
눈치챈 건 아니겠지.
내가 좋아하는 사람이 은하… 라는 것을….

이건 너무
나갔다.
그냥 기분 탓
이겠지 뭐….
저희 진짜
오랜만에
봤네요.
몇 년
만이죠?

…….
글쎄….

5년? 6년?
그쯤 아닌가.
그렇겠지?
형 수능 칠
때니까.

형이랑도
친해지고
싶었는데.
그때…
학교에서 뵌 뒤로는
한 번도 못 봤네요.

움찔…

?!

……. 그러게.
?
?
어… 음……. 내가 더 자주 부를 걸 그랬다. 그치?
닭국수

말 나온 김에 놀러갈까요?
날짜 잡아봐요.

저번에 알바했던 집이
진짜 맛집이었는데,
다음에 다 같이 가요.
응?
가자, 형.
어? 어….
좋지좋지….

하아…
아냐,
미안하다.

요즘 바빠서
시간이 안 날 것
같거든.
나중에
시간 될 때 보자.

…그러시구나.
다음에 꼭
같이 놀아요.
그래그래,
천천히 잡자.
성훈이 요즘
바빠.
ㅠㅠ

어, 저기
음식 온다!
밀린 얘기는
나중에 하고
일단 먹자!
여기
진짜 맛있어!!
먹어봐.

먹자,
먹자~!!
진짜…
갑자기 이게
뭔 고생이야….
ㅠㅠ
하성훈 저건
왜 저러냐고….

그래도
어찌저찌
다 먹었음
으아,
배부르다.

진짜
맛있었어!
데려와줘서
고마워, 형.
천만에요….
체하겠다.

난 화장실 좀.
어어….
계산하고
있을게.

7933

닭국수
해물국

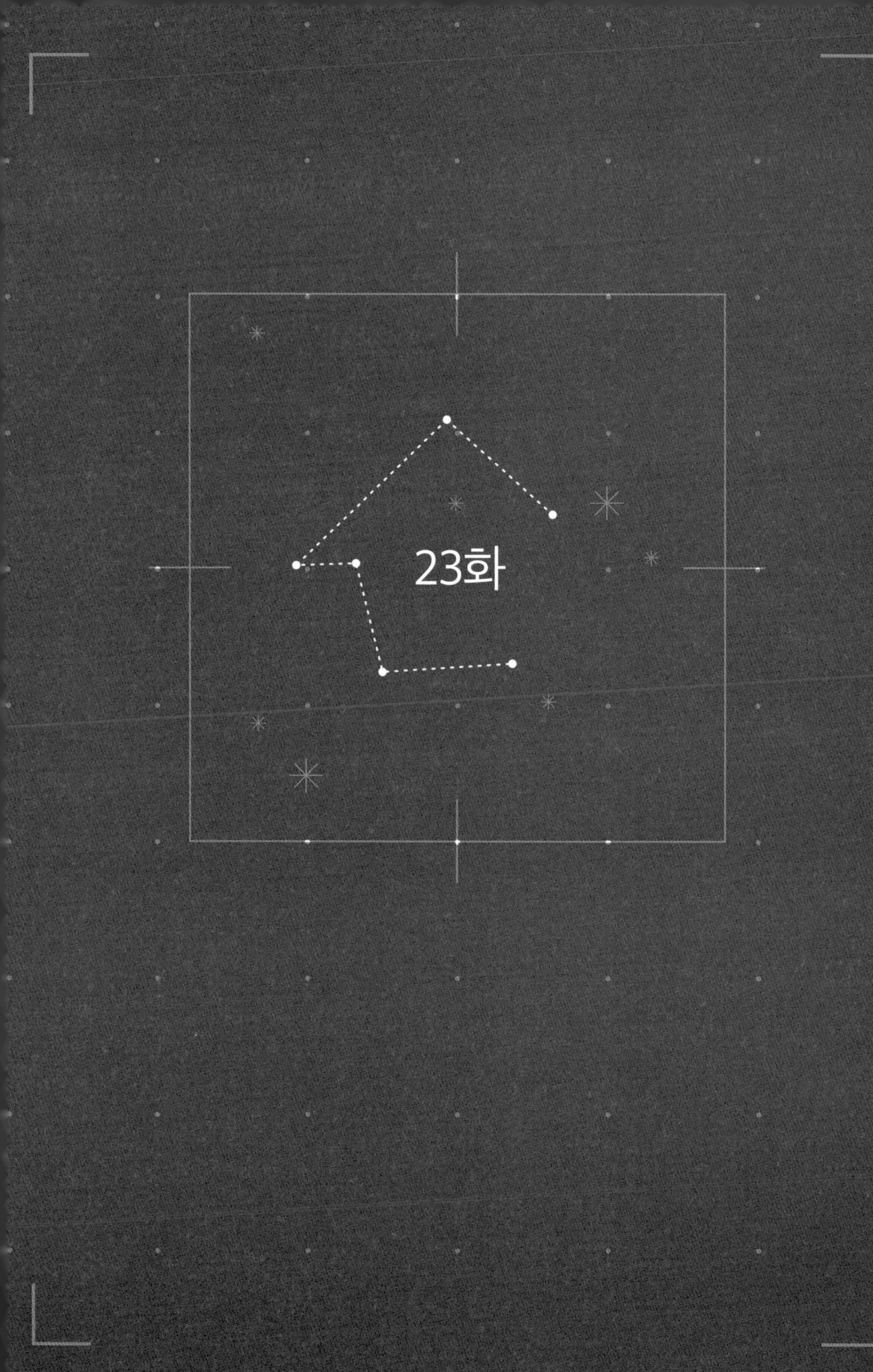
23화

가족이 되는 방법

아까 많이
불편했지.
미안해,
재가 저런 애가
아닌데….

그런데…
갑자기 성훈이가
왜 그랬을까?
무슨 일
있었나….

아냐, 형.
내가 눈치 없이
끼어들어서….
너가
잘못한 게
뭐 있어.
신경쓰지
말아.

뭐 별거
아니겠지.
아무튼
진짜로 신경
쓰지 마….
형.

왜?
나 가게에
휴대폰 두고
왔나 봐.

정말?
잘 찾아봤어?
응.
주머니에
없네.

가지러 갔다
올게.
형은 집에
먼저 가.
응? 같이 가지.
아냐, 어차피
나 알바도 가야 해.

뭐? 어깨 아픈데 알바를 나가?
몸 쓰는 알바 아니야.
먼저 가, 형!

어휴… 괜찮을까.
…….

…….

…………….

…….
이상하다?

은하…
아까 분명
휴대폰을
챙겼던 것
같은데.
castomellow

뭐지?
착각했나?

…….

부우우웅

…네,
맞아요.
아까 그 가게
근처 카페
앞이에요.

일부러였지?
폰 바꿔 가져간 거.

죄송해요.
그냥은 안 만나주실 것 같길래.

후..

아냐, 나도 물어볼 게 있었어.
들어가서 얘기하자.

뭐지?
저 둘이
왜 따로
만나지?

이상하다
싶어서
따라왔는데….
이건 정말
생각지도 못한
일인데.

…….

엿듣기
모르겠고,
일단 듣고
판단한다.

무슨 대화를 하려고 그러는 거지?
표정들이 엄청 심각한데.

예전에 두 사람 사이에 무슨 일이 있었나?
그때는… 죄송했어요.
제가 정신 상태가 제일 안 좋을 때였거든요.
아무리 안 좋았어도 형한테 그러면 안 되는 거였는데.

…….
무슨 일 말이야?

…예전에
학교에서
도연이 형이
걱정된다고 저를
찾아오셨잖아요.
"도연이가 울면서
집에 찾아왔는데,
이유를 모르겠다"고….
어? 뭐야.
그때 둘이
무슨 일이
있었어?

그때 그 이야기를
들은 제가 형에게
실언을….

…….
아까 밥 먹을 때
이렇게 말했지.

"그때 학교에서
뵌 뒤로 못 봤네요."
그야
못 봤을 만
하지.
그날….

너만
없었으면
형이랑
잘됐을 텐데….

날 죽일 듯이
노려보면서
그 말만 반복
했었잖아.

뭐?
솔직히 진짜 무서웠거든, 그때.
근데 그걸 그렇게 떠보듯이 말해서, 순간 제정신인가 싶었다.

…정말 죄송해요.

도연이 형에게는
말한 적 없으신 거죠?

…뭐, 보면 알잖아.
말 안 했어.
이걸 어떻게 말해야 할지 모르겠더라고.

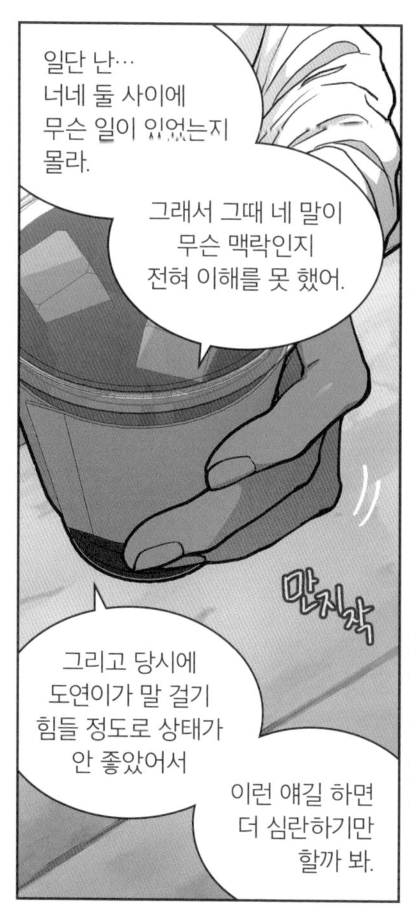
일단 난…
너네 둘 사이에
무슨 일이 있었는지
몰라.
그래서 그때 네 말이
무슨 맥락인지
전혀 이해를 못 했어.
만지작
그리고 당시에
도연이가 말 걸기
힘들 정도로 상태가
안 좋았어서
이런 얘길 하면
더 심란하기만
할까 봐.

그리고….

호록…

혹시
아웃팅일까 봐.

지금 물어보겠는데,
무슨 뜻이었어?

너 도연이를
좋아해?

너만 없었으면
형이랑 잘됐을
텐데.
이게….

내가 생각한 뜻이
맞아?
두근
두근
두근
두근

두근 두근
두근
두근
……
저는…….
두근
두근
두근

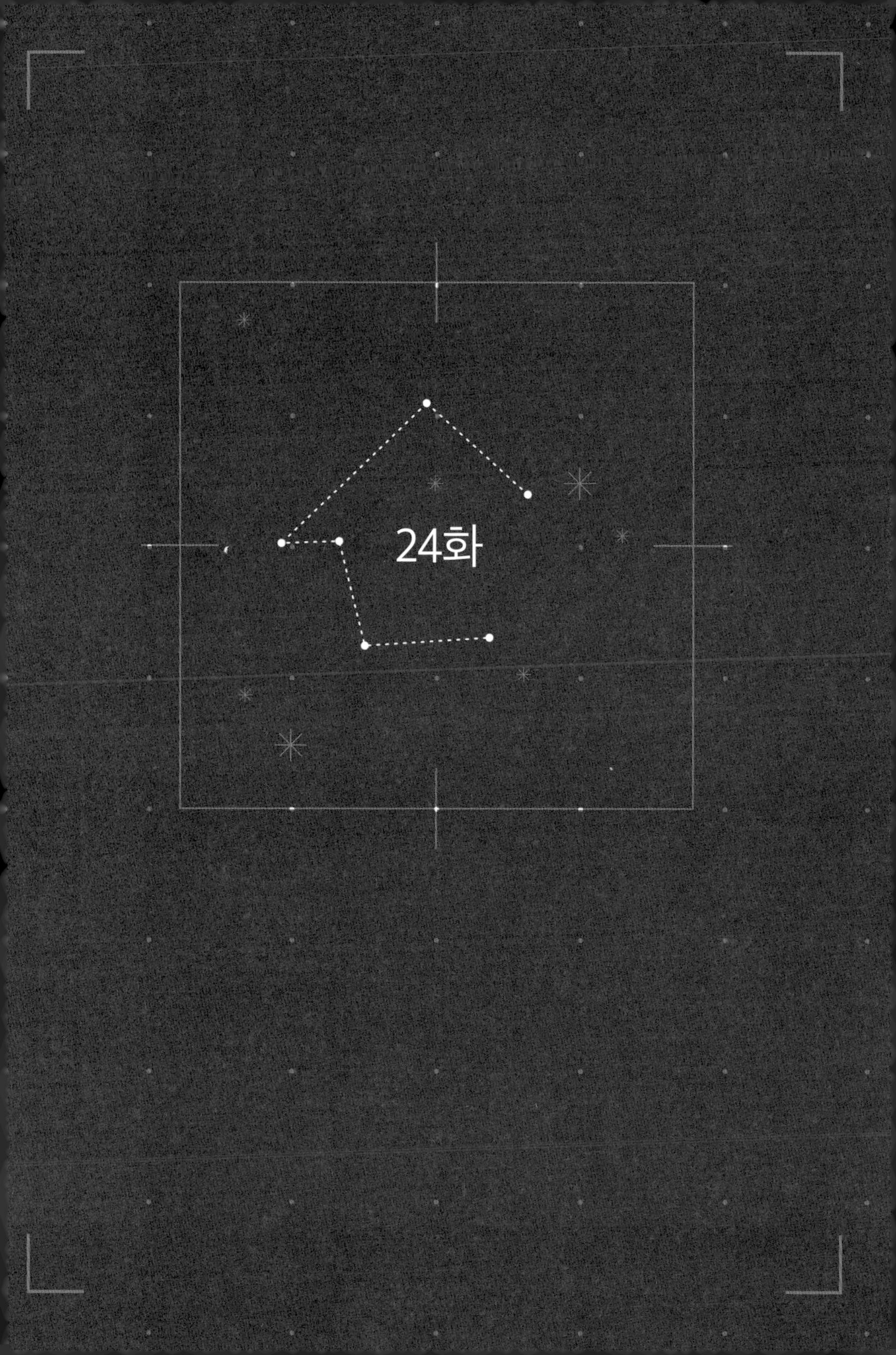

24화

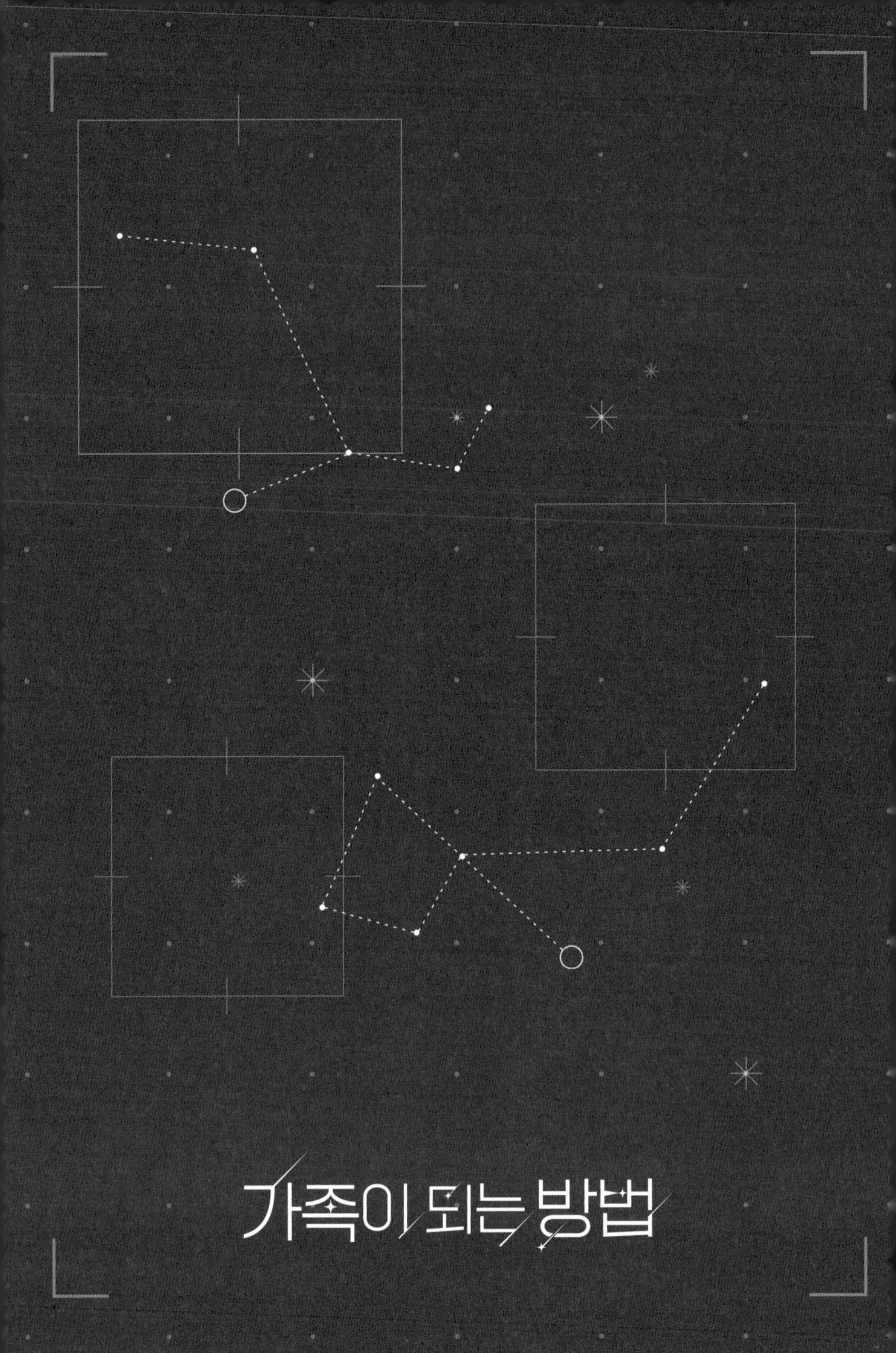
가족이 되는 방법

여보세요?
엄마, 별일 없지?

택배, 문 앞에 와 있었네. 받았어.
무슨 반찬을 이렇게 많이 보냈어요.
있는 것도 아직 다 못 먹었는데….

너만 입이니? 은하가 있잖아.
은하 토실토실하게 살찌워야 한다.
토실토실….

은하는 잘 있지?
잘 챙겨주고 있니?
그럼요….
어…
아주 잘해주고
있지….
목소리에 자신감이
없는데?
아니라니깐.

조만간 한번 갈게.
은하 잘 챙겨라.
엄마는 은하
얘기만 하고….
알았어,
알았어요.

응, 응.
넵.
연락할게요.
응.

엄마
꾸욱

쏴아아아

어후~
겨우 눕네.
풀썩

피곤하다….
뒹굴

지금 물어보겠는데,
무슨 뜻이었어?
너 도연이를
좋아해?

저는….

…….

…제가 성훈 형이랑 따로 자리를 마련한 이유는 세 가지예요.
먼저….
과거의 제 행동을 사과하고 싶어요.
정말 죄송합니다.

이 일을
도연이 형에게
말하지 않아주셔서
감사해요.
두 번째는
그걸 확인하고
싶었어요.
도연이 형이
그 일을 알고 있는지,
아닌지….
세 번째는….
지금 얘기,
도연이 형에게 계속
비밀로 해주셨으면
해요.
왜?
…형이…
알아서 좋을 게
없는 얘기니까….
이미 형에게 충분히
미움받고 있는데…
여기서 더
미움받고 싶진
않아서요.

그때 보셔서
알겠지만 제가 형편없이
엉망이었잖아요.
도연이 형에게도
잘못한 게 많아요.
그런 일들을…
다시 반복하진
않을 거예요.
그럼 더더욱
숨겨선 안 되는 거
아닌가.
하~~~
2500원
COFFEE
AFFOGATO
…….
부탁드려요.

너 아직
내 질문에 대답
안 했잖아.

정말 도연이를
좋아하는 거야?

두근
두근
두근
그…
가족이었는데,
그래도 괜찮아?
두근

…….

두근
두근
두근
두근
두근
…그건….

그런 의미로
했던 말은 아니에요.
저는 그저
형이랑 가족이
되고 싶어서
그랬던 거예요.

지금은
다시 시작하러
온 거예요.
형이랑
처음부터 다시…
관계를 쌓아서.
이번에야말로
형과 진짜
가족이 되려고.

흑…
이깟 게.
흑.
이까짓 게 뭐라고.

흑…
…흡.
알고 있었잖아.
…흐윽….
속상해할 이유 같은 거 없잖아.
그 약간 기대한 거 가지고 이렇게 실망할 일이야?
진짜 한심하다, 한심해.

진짜…
발전한 게
하나도 없어….
그날 밤
꿈을 꿨다.

누군가에게
실컷 푸념하는
꿈을.
짝사랑이
너무 힘들다.
자꾸 기대를
갖게 돼서
힘들다….
그 누군가는
내 이야기를
듣고는 이렇게
말했다.
…….

너도 맘대로 하면 안 돼?

뭐?
그 은하라는 애는 자기 하고 싶은 대로 행동하는데,
너는 그러면 안 돼?

걔가 널 어떻게 생각하든지 신경 쓰지 말고
그냥 고백해버려.
가족 같은 건 하기 싫다고 해버리라고.
차라리 차이는 게 맘 편하겠다.

쌕
쌕
쌕
쌕

꿈이었구나….

고백해버려.

이걸 실행에
옮기기로 한다.

25화

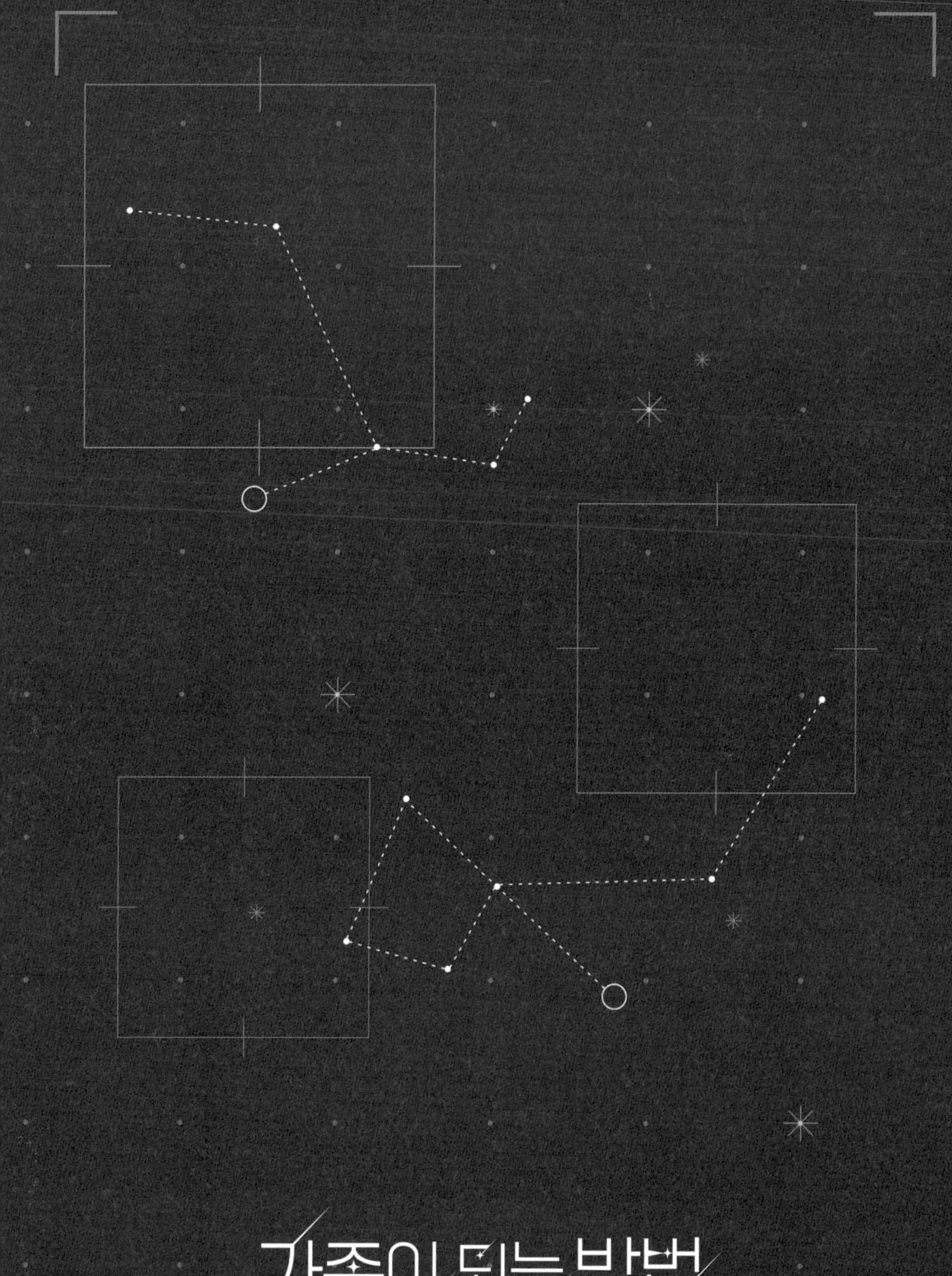

가족이 되는 방법

성훈아,
나 너랑 은하가
이야기 하는 거
엿들었어….
그래서
할 말이 있는데
너희 집 좀 가도
될까?

…………….
……음….

어… 일단.
말 안 해서 미안했다…. 모르는 게 나을 것 같았어….

아냐… 배려해줘서 고맙고….
나야말로 막 엿듣고 그래서 미안해….

그래서 할 말이 뭔데?
바로 본론
헉.
마음의 준비할 시간 좀….

뭐길래
마음의 준비까지
필요해?
그게…
설명하자면
좀 긴데….
요약해봐.
머뭇
머뭇
어? 음.

나
은하한테 좋아한다고
고백하려고.

그냥…
처음부터 설명해
주세요….
넵….

25화

그러니까
이런 거지?

짝사랑이 괴로워서
시원하게 차이고
홀가분해지고 싶다.
맞아!
너 요약
잘한다.

야, 나 근데
섭섭하다.
어떻게 한 번도
말을 안 해주냐.
너랑 내가
몇 년을 알고
지냈는데.
야아~.
일부러
그런 거
아니야….

농담이고,
대충 뭔 일 있었구나
싶기는 했었어.
상대가
은하인 건
몰랐지만.
어.

연애 얘기
나올 때마다
엄~청 사연 있는
표정을 해서
네 앞에선
뭔 얘기를 못 할
정도였다고.
뭐?!

아니지?
아니라고 해줘.
내가 그렇게
티 내고 다녔다고?
안타깝지만
사실이란다,
친구야.
동기들
사이에서도
유명해….

도닥 도닥

…근데 갑자기
왜 말해주는 거야?
응?

그냥… 숨기고
싶었을 거 아냐.
말하기
쉬운 얘기도
아니고….
나한테
막 얘기해도
되나 싶어서.

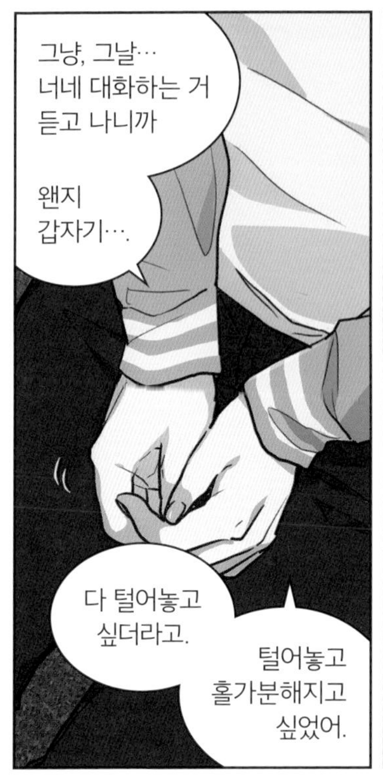
그냥, 그날…
너네 대화하는 거
듣고 나니까
왠지
갑자기….
다 털어놓고
싶더라고.
털어놓고
홀가분해지고
싶었어.

생각을
혼자 끌어안고
있다 보면 사람이
이상해지더라.
평소라면
안 했을 생각들을 하게 돼.
안 좋은 생각만 계속….
그러다 보면
그게 막 튀어나와,
어느 순간에.

…그래서
더 이상해지기 전에
말하는 게 나을 것
같아서.
너한테
털어놓으니까
마음이 편해졌어.

고마워.
…….

아, 그리고
상담하고 싶은 것도
좀 있어서
상담?

고백하자고
결심한 건 좋은데…
마음에
걸리는 게
있거든.
그날 네가 말했던
사건 말이야.

너만 없었으면
형이랑
잘됐을 텐데….
아~.

그때 일 좀 더
자세히 얘기해줄 수
있어?
그날 네가
들은 게 다야.
그 후로는
마주칠 일이
없었으니까.

그랬구나…
뭐가 마음에
걸리는데?

은하가 힘들어하는 건 알고 있었지만
너한테 그렇게 말할 정도인 줄은 몰랐거든.
몇 년 전 일이라곤 해도.
그래서 좀 더 자세한 정황을 알고 싶었어.

은하 상태를 좀 더 파악한 후에 말할지 말지 결정하는 게 좋을 것 같아서….
상태가 안 좋은 애를 더 힘들게 만들면 안 되니까.
내가 참는 게 나을지도 모르니까….

…….

그럼 조심스럽게 잘 차여야겠네.

뭐?
억지로 참다가 터져서 막말하는 것보단
맨정신으로 조심스럽게 말하는 게 차라리 나을 거 아냐.

이런 말 해서 미안하다고 하면서
나에게 너무 잘해주면 내가 착각하니까 평범하게 대해달라….
이걸 잘 포장해서 말하면 괜찮지 않을까?

그러네.
납득!!
그치?
잘 생각해서 잘 말해봐.

그럼 어떻게 말하면 좋을까?
이건 어때?
오….
…….
…….

CK FACTORY
TICKET BOX
와, 영화 엄청 재밌었다!

영화관, 진짜 오랜만이야.
KET BOX
요즘 정말 영화를 안 봤네.
나도 영화관 정말 오랜만에 왔어.

요즘 기술력 좋더라.
CINEMA 01-08
맞아, 전부 CG라고 해서 솔직히 놀랐어.

다음 편 빨리 보고 싶다~.
어떻게 거기서 딱 끊냐.
그러게. 어떻게 될지 상상이 안 가….

이게 세 번째
부탁이었던가?
같이 영화
보러 가기….

…….

응, 오늘 정말
즐거웠어.
고마워, 형.
덕분에 영화관도
오고….

네가 오자고
한 건데 왜 나한테
고맙대.
그런데 부탁이
이런 거여서 괜찮겠어?
더 좋은 거 좀 하지.
좋은데?
…더 좋은 걸
하라니까.

이제 부탁
두 개 남았나?
응.
아, 나
마지막 부탁은 뭔지
알 것 같은데.
기차
타는 거지?

아닌데?
여행 가는 건데?
기차 타고.
ㅋㅋ ㅋ
그게
그거잖아.

여행
어디로 갈래?

그냥 해본 말인데….
형 바쁘지 않아?
괜찮아,
괜찮아!
하루
이틀인데, 뭐.
그거 놀았다고
큰일 나진 않아.

그래서 어디 갈까?
아예 부산 가서
1박으로 놀까?
그래도 돼?
너무 좋지!

계획은
완벽하다.
여행 가서
고백한다!

How to be a family

26화

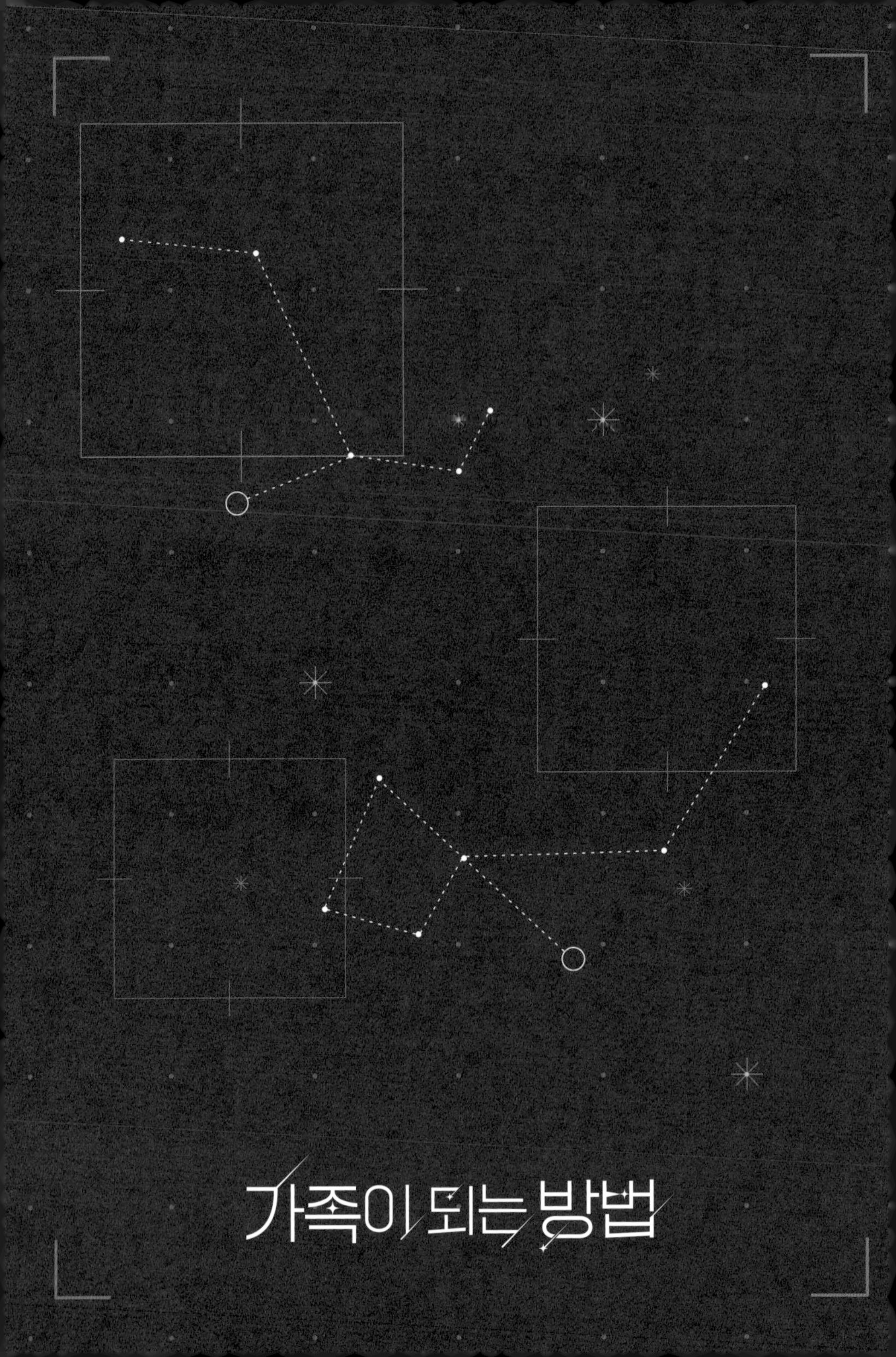
가족이 되는 방법

…….
음….

괜찮…은가?
왠지 어색한데.
달칵
형!
기다렸지.
아냐, 아냐.
준비 끝났어?

와!
형, 정말
질 이울린다.
네 번째 부탁…
서로 옷 골라주기.
네가 더
잘 어울리는데?
뭔들
안 어울리겠냐마는….
형이
골라줬으니
당연하지.
아, 이러다
기차 시간에
늦겠다.
빼먹은 거
없지?
응!
나가면 돼.

드디어
오늘이 왔다.
여행 가는
날이….

형!
여기 음료수 사 왔어.
이거 맞지?
어?
아, 어, 응. 고마워.
무슨 생각을 그렇게 해?
어디 아픈 건 아니지?
아프긴 뭘.
그냥 멍 때렸어.
긴장돼….
꽈득
내 계획은 이렇다.

이 여행을
아주 즐겁게
보낸다.
여행이당
기차당
여행이
끝나갈 무렵에
내 마음을
고백한다.
이거...
받아...

그리고
깨끗하게
차인다!

…….

이렇게
말하니까 좀
없어 보이는데.
아니야,
엄청 열심히
준비했다고.

즐거운 여행으로
만들기 위해
여행지 검색하고
동선 짜고.
완벽
정리
꼼꼼히
확인
검색
어떻게
내 마음을
전해야 할지
이게 아냐!
얼마나 많이
고민했는데.
조사

편지로
주는 건 어떨까?
편지?

말로는
전달이 잘 안 될
것 같아서.
긴장하다가
말 꼬일 것 같고….
근데 또
메일이나 카톡은
좀 그렇잖아.
그래서 손편지로?
뭐… 음… 그래….
별론가?
막 부담스러워?
음… 아냐,
내용 전달은
잘 될 것 같아.
보고서가
아니거든.

그래서
그냥 직접 말할까
생각도 했지만….
긴장돼서 안 되겠다.
역시 나한텐 편지가
최선이야.

이 편지를….

돌아가는 날
이 편지를 주고
은하에게
혼자 있을 시간을
줄 거야.

내 눈치
안 보고
혼자서 차분하게
읽어보는 게
좋을 테니까.
그러고
나면….

형, 과자 먹을래?

그러고 나면…
은하의 선택에
맡겨야지.
은하가
어떤 선택을 해도
감수할 거야….
초코볼이랑
감자 스틱 중에
뭐가 좋아?
어…
초코볼.

덜컹
고객 여러분, 안녕하십니까?
우리 열차는 부산역까지 가는 고속열차입니다….
!
어? 출발하나 보다.

…….

너 이러는 거 처음 본다.
기차가 그렇게 좋아?
……응.

이거 말고 좀 더 천천히 가는 걸 타는 게 낫지 않았겠어?
이건 너무 빨리 가잖아.
아… 괜찮아.
형 학교 때문에 시간도 많이 없잖아.

그래도 기왕이면…
여행보다 기차가 주인공인 건데.

음….
내가 어렸을 때 읽은 책이 있거든.

주인공은 나와 똑같은 고아인데….
은하가 웬일로 먼저 자기 얘기를 하네?
주인공이 기차를 타고 가면서 이야기가 시작해.
주인공은 그 기차를 타고 가서 만난 사람들과
우여곡절 끝에 평생을 함께 할 소중한 가족이 되거든.

그게 너무 좋아서 책이 너덜너덜해질 때까지 읽었어.
꼼지락
무슨 말이냐면.
음….
형이랑 같이 타는 게 좋은 거지, 얼마나 오래 타느냐는 별로 상관없어….

음, 어⋯.
이름이 은하라서가 아니었구나.
응?

어⋯ 그니까⋯ 은하랑 기차 하면 은하철도니까?
아무·말·중.

그러게, 생각해본 적 없었는데.
은하철도⋯. 진짜네, 재밌다.

형 덕분에 기차를 좋아할 이유가 또 하나 생겼네.

미안해, 은희야.
싫어할 이유가
될 수도 있어.

이야기 속
주인공은 기차를 타고
가족이라는 인연을
만났지만
우리는
기차를 타고 나면
인연을 끊을지도
모른단다….

그래도 그만두지
않을 거야.
형, 멀미해?
그 편이
우리에겐 더
나을지도 모르니까.

너도 맘대로
하면 안 돼?
걔가 널
어떻게 생각하든지
신경 쓰지 말고.
그냥
고백해버려.
은하가
맘대로 행동한 건
아니야.
나 혼자
그렇게 생각한
거지.

좋아하는
마음을 억지로
없애려 하니까
멀미약
가져왔나?
마음이 없어지긴
커녕 이상해지고
뒤틀리다가
결국
이런 식으로
상대방 탓만
하게 되더라.

나도
반복하지
않을 거야.

더 이상은….

형… 괜찮아?
여기 약이랑 물.

어…
고마워….
미안해….
진짜 미안해….

미치겠네.
긴장해서 체하다니,
멘탈이 순두부냐고.

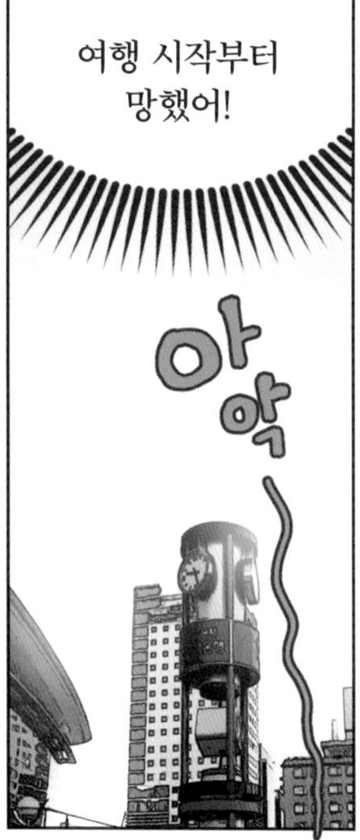
여행 시작부터
망했어!
아악

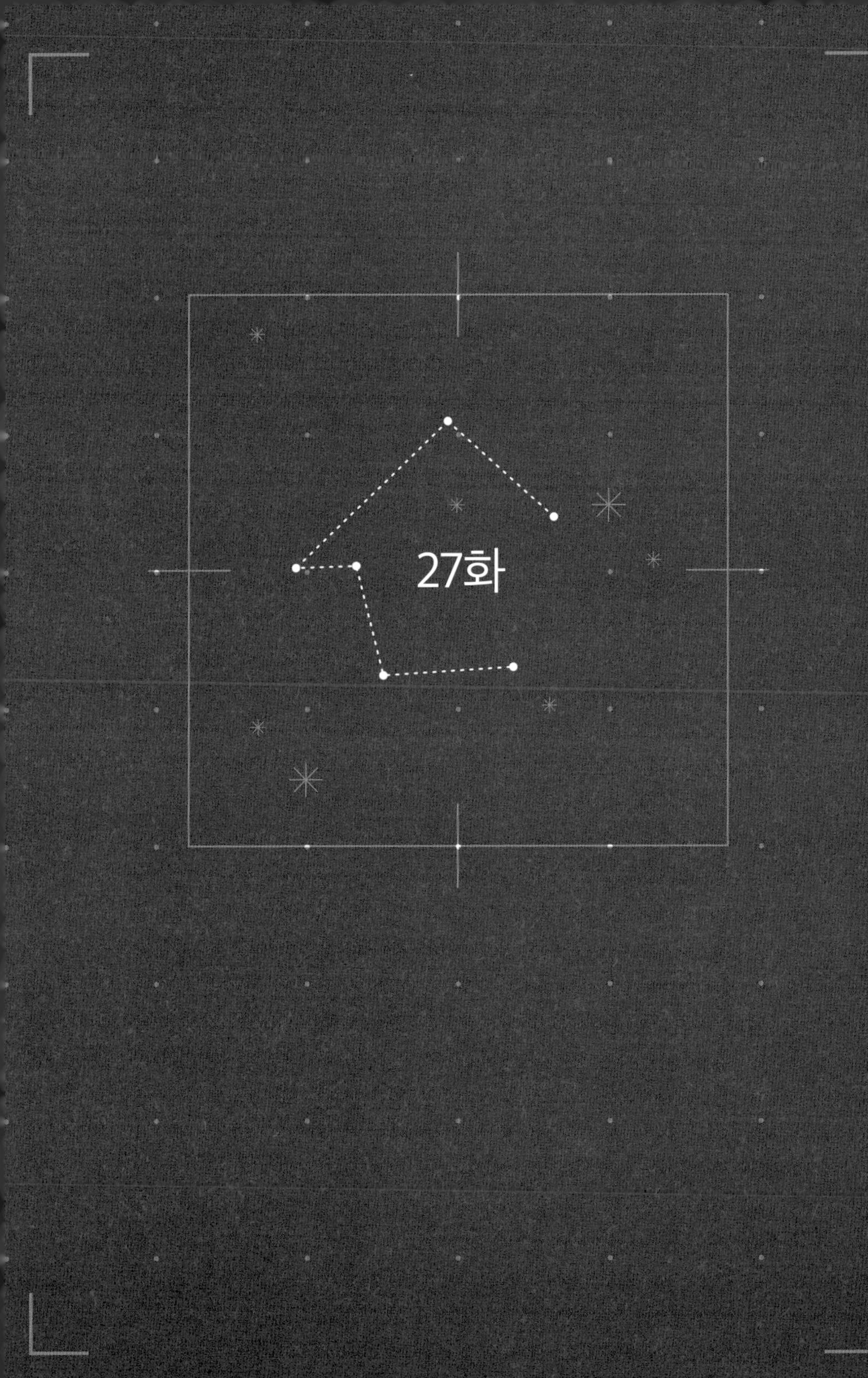

27화

가족이 되는 방법

형….
정말 괜찮아?

괜찮아,
괜찮아!
약 먹으니까
싹 나았어!
아직 안색이
안 좋은데….

아니라니깐?
진짜 괜찮아.
사실 아직
울렁거리지만….

오늘을 어떻게
준비했는데.
벌써 시간이
많이 지체됐다고!
일단
체크인부터
하고….
우리 가기로
했던 곳들
쭉 돌자.
응.

시간 애매하니까
바로 점심 먹으러
갈까?
그래도 돼?
속 안 좋은 거
아니야?
괜찮다니까!

거기 진짜
기대되지 않아?
사진만 봐도 엄청
맛있어 보였는데.

생각하니까
배고파지네.
가자, 가자!

어?

내부 수리 관계로
오늘은 쉽니다.
대단히 죄송합니다.
내부 수리 관계로
오늘은 쉽니다
대단히 죄송합니다

괜찮아,
괜찮아!
이럴 줄 알고
다른 곳도
찾아왔지.

우와, 맛있어!
여기도 닫았을까 봐
걱정했는데 열려 있어서
다행이다, 진짜.
형 덕분에
맛있는 거 먹고
너무 좋다.
찾아줘서
고마워, 형.

당구
부동산
노래

첫 번째 집
못 갔던 건 아쉽다.
거기도
궁금했는데….
나도
가보고 싶어.
내일 다시
가볼까?

그….
철퍽

죄송…
죄송합니다….
먹다가…
못 봐서…
그래서….
덜
덜
덜
아니에요!
괜찮아요!
제가 한눈팔면서
걸어서 그랬어요!
새로 사줄게요!

에고, 안 되겠다,
호텔에 돌아가서
갈아입고 가야겠다.
미안해….
냠냠
형이
뭐가 미안해.
일단 이걸로 닦고
얼른 갔다 오자.

어?

OLIVE YONG
UP TO 50%
여기가…
아닌 거 같은데?
버스를
잘못 탔나 봐….

좀 더
잘 확인할걸…
미안해….
아니야,
형이 왜 미안해.
나야말로 잘 확인
했어야 했는데….

오늘
되는 일이
없네.
불길하게….

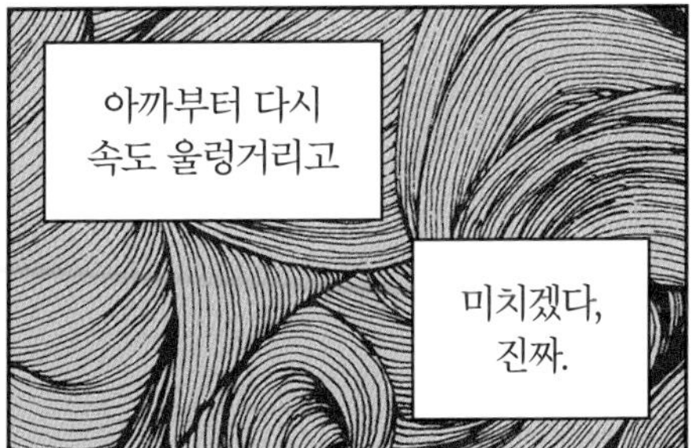
아까부터 다시
속도 울렁거리고
미치겠다,
진짜.

형.
괜찮아?
안색이 안 좋아.

…너….
가까워, 가깝다고.
좀 떨어져 봐.
퍽
퍽
퍽
아… 미안해.
걱정돼서….

혹시 속이 안 좋아?
멀미약 줄까?
내려서 좀 쉬었다 갈래?
괜찮다니까?
아까 약을 얼마나
먹었는데.
그리고
이 이상 늦으면
일몰 시간 놓쳐.

깜짝 놀랐네.
그렇게 티가 났나….
두근
두근
정신 차려야지.

아직
해야 할 게
많아.
저녁도
먹으러 가야
하고
야경도 보러
가야 하고.

은하한테
좋은 하루를
만들어주고 싶단
말이야….

찰칵

정말 좋다,
풍경이 너무 예뻐.
일몰 시간에
맞춰서 오기를
잘했다.
아… 그치,
여기 유명하더라.

어? 이거 봐.

여기저기 작은 돌탑이 있어.
사람들이 쌓아두고 갔나 봐.

우리도 만들까? 소원 빌사.
그럴까?

형은 무슨 소원 빌 거야?

음~.
글쎄….

뭘 빌어볼까….
울렁!
울렁
울렁!
지금 당장 건강하게 만들어 주세요?

아까까진 그래도
이 정도는 아니었는데
갑자기 왜 이러지.
토할 것 같고
식은땀이 나….
너무 무리했나?
아까 먹은 약
가져왔던가….

형,
다 만들었어?
사진 찍어도
될까?
응? 응, 그래.

슥
후들…

으아,
다리까지 후들….
…….
피잉

?
형?
풀썩

왜 그래, 형.
괜찮아?
…….
…….

안 되겠다. 형, 업힐 수 있겠어?
어?
아냐아냐, 쉬면 나을 거야.
어, 그냥… 그냥… 기립성 저혈압이야, 이거.

잠깐만 앉아서 쉬었다 가자.
그러면 돼.

응?
……."

형…
무리하지 마.
슥
이렇게 창백한데.

오늘 너무
무리하는 것
같더라.
날 위해 온
여행이라서
신경 써주느라
그런 거지?

그래도 난
형이 안 아픈 게
더 좋아.
영차

형은
다정하니까….
…….

일단
병원 가보자.
응급실은
열려 있을
테니까….

미안해….

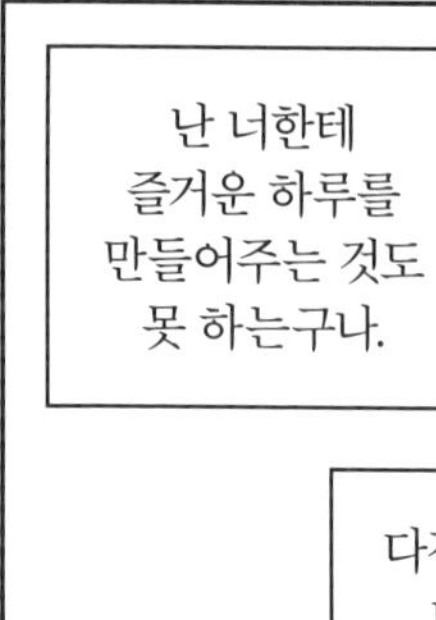
난 너한테 즐거운 하루를 만들어주는 것도 못 하는구나.
다정한 건 너야.
이렇게 재미없는 하루도 좋았다고 해줄 거니까.

내가 뭘 해도 너는 좋다고 하겠지.

이런 이상한 편지를 받아도
싫은 티는 못 낼 거야.

너는….

나도 형이 좋아.

응?

거짓말
하지 마.
너는
그냥….
거짓말 아닌데?
…?!

?
어?
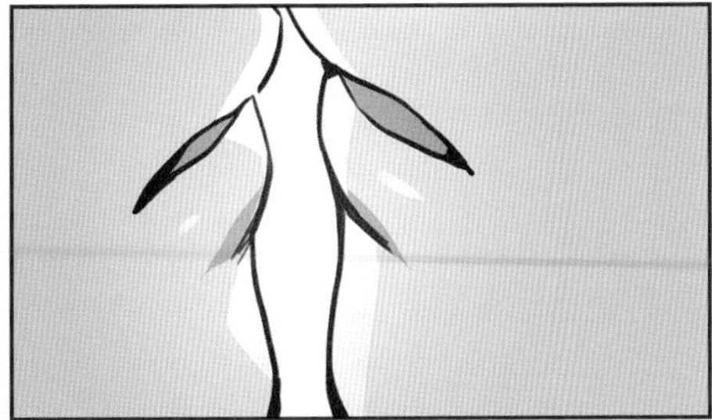

어어?

다음 권에 계속

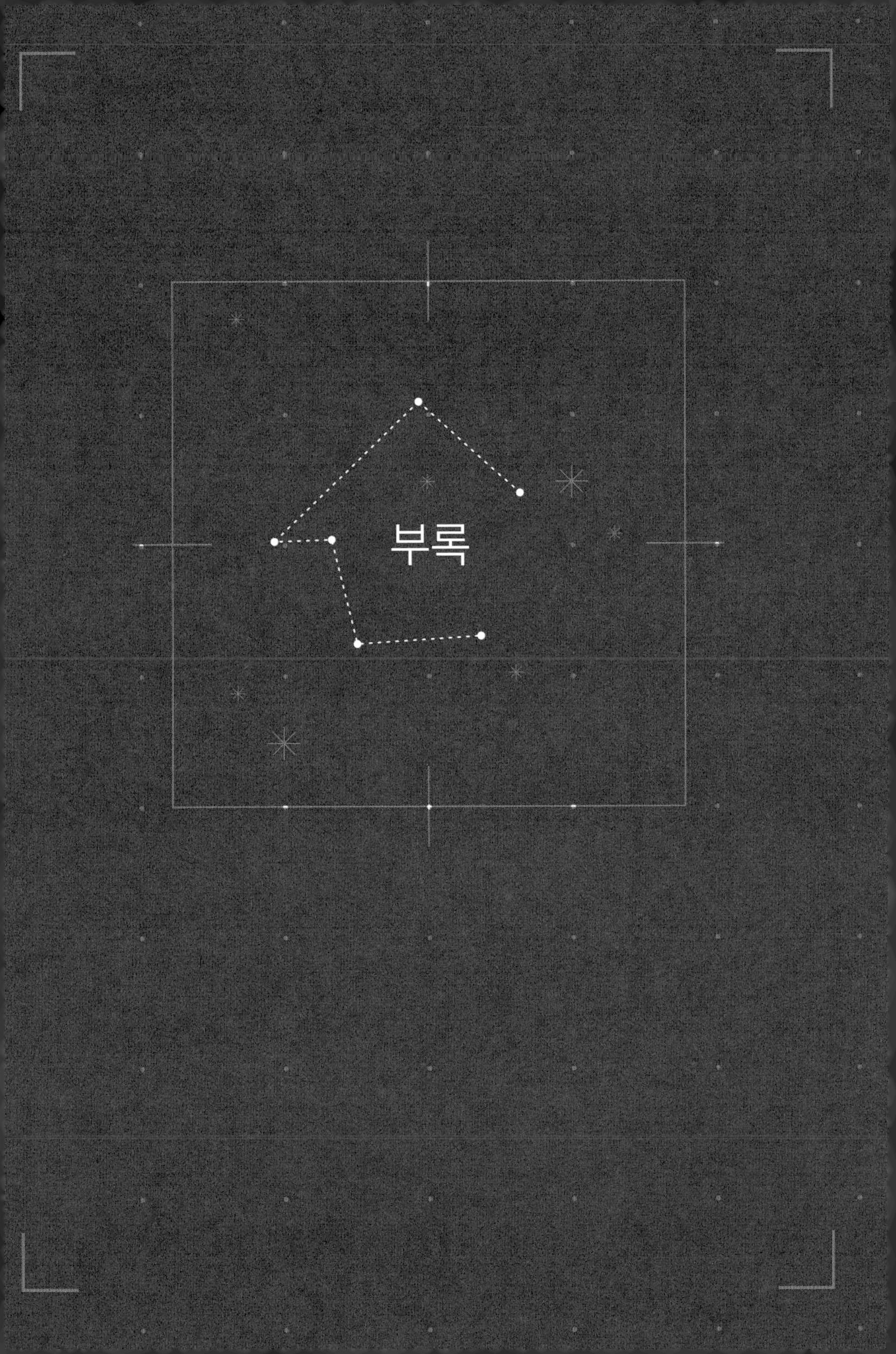

부록

5살일 때
우리 몇 밤 자면 기린 보러 가?
안녕…하세요….
신도연
서은하
음….
어린 시절 함께 자랐다면?
따뜻한 가족들 사이에서 사랑받고 자라 응석도 잘 부리고 고집도 셀 것 같은 은하!
도연이는 형이라며 그런 걸 잘 받아줘서 사이좋게 잘 지낼 것 같아요. 사춘기에 서로 고민을 털어놓기도 하고, 나이 먹어서도 서로 의지하는 좋은 형제가 될 것 같아요.
(ps. 두 사람이 함께 자랐다면 은하의 이름은 달라졌을지도^^)